D0886791

Manfred Gsteiger: Poesie und Kritik

MANFRED GSTEIGER

POESIE UND KRITIK

Betrachtungen über Literatur

FRANCKE VERLAG BERN
UND MÜNCHEN

Bücher

Im Innern der Marken, zwischen Apennin und Adriatischem Meer, liegt die Stadt Urbino. Sie krönt eine Hügelkuppe und blickt weit über die Täler, baumbestandenen Anhöhen, zerstreuten Bauerngehöfte und den Fluß Metauro, wo vor mehr als zweitausend Jahren die Römer den Karthager Hasdrubal schlugen. Es ist eine berühmte Stadt, in der man das Geburtshaus Raffaels besichtigen kann, aber vor allem eine schöne Stadt mit alten Palazzi und Loggien, Kirchen und kleinen Plätzen, auf denen sich freilich zu Zeiten das motorisierte Blech unserer Zeit stinkend und lärmend breitmacht, bis dort, wo die winzigen Gäßchen einmünden, die zu steil und zu eng sind, als daß ein Wagen durchkäme, wo es plötzlich still wird und schattig, und der Blick immer wieder überrascht in die Tiefe der sonnenbeschienenen Landschaft taucht.

Das Herz dieser Stadt ist der riesenhafte Palast der Herzöge von Urbino, der im 15. Jahrhundert erbaut und im 16. erweitert wurde. Hier residierte einst Federico da Montefeltro, dessen Adlerprofil in Stein und auf Holz man in den hohen, weitläufigen Gemächern oft begegnet, ein erfolgreicher Söldnerführer und großer Freund der Künste, der sich hier in einem denkwürdigen Augenblick der italienischen Renaissance einen üppigen Musensitz schuf.

Man wandert durch eine fast endlose Flucht von Sälen und Zimmern, Gängen und Hallen; schon fast ermüdet von dem immer wiederkehrenden Prunk der festlichen Friese und eingelegten Türen betritt man irgendwann die Bibliothek: eine kleine, dämmerige, reich mit Holz ausgekleidete Kammer, deren leere Bücherbretter Platz für kaum ein paar Dutzend Bände enthalten.

Jeder Bahnhofskiosk kann heute mit mehr Büchern aufwarten als Federico, Herzog von Urbino, in seinem gewaltigen Palast besass. Allerdings, das waren nicht die gleichen Bücher: kostbare Handschriften auf Pergament und Papier, viele von ihnen ausgeziert mit Initialen und Miniaturen, in schweren metallbeschlagenen Einbänden mit gepreßten Ornamenten, dazu wohl – im letzten Viertel des 15. Jahrhunderts – einige frühe Drucke, Inkunabeln, deren Wert den Manuskripten nicht nachstand. Unter diesen Bänden mochte es eine Anzahl religiöser Werke geben, Gebetbücher und Heiligenleben zum Beispiel, dann aber sicher vor allem Schriften des Altertums, etwa Cicero, Virgil und Livius, die *Lateinische Ilias* vielleicht und wahrscheinlich eine der vielen mittelalterlichen Lebensbeschreibungen Alexanders des Großen, an denen sich die Fürsten überall in Europa begeisterten; die italienische Literatur mag mit Dante- und Petrarca-Handschriften vertreten gewesen sein und die «Moderne» zum Beispiel mit einem frühen Druck von Luigi Pulcis Ritterepos *Morgante*. Hier war auf jeden Fall Buch für Buch etwas Einmaliges, ein Individuum, dessen Inhalt so kostbar war wie seine äußere Gestalt, die jenen symbolisch widerspiegelte. In jeder Hinsicht war das Buch ein Wertgegenstand – so kostbar, daß man es in mittelalterlichen Bibliotheken mit Ketten sicherte: nicht bloßes «Vehikel des Geistes», sondern selber greifbares Zeichen der Weisheit, wie sein Inbild, das «Buch der Bücher», und Symbol des Lebens, wie das «Buch der Natur».

Indessen ist in unserer Zeit das Buch ein Gegenstand industrieller Herstellung geworden. Man spricht von Buchproduktion, von Buchkonsum und von Buchmarkt. Ein gewaltiges Angebot gedruckter Ware füllt nicht nur die Buchläden, sondern auch die Kioske, Warenhäuser, Selbstbedienungsgeschäfte. Die Nachkriegszeit hat das Taschenbuch gebracht, und in den Buchhandlungen überquellen die Gestelle von Neuerscheinungen. Noch nie in der Geschichte der Menschheit war das Buch so billig zu haben, war das gute Buch so leicht zugänglich. Jeder Herbst schwemmt uns eine neue und stets steigende Flut von Büchern auf den Tisch. Die Rezensenten sind nahe daran, zu verzweifeln. Verlage lancieren Großauflagen, Serienbücher, Volksausgaben; Buchklubs und Buchgemeinschaften leiten die Flut bis in die hintersten Winkel. In Tabakläden kann man sich heute kritische Ausgaben der Gedichte Walthers von der Vogelweide oder Abhandlungen über Kybernetik kaufen. Tausende von Rotationsmaschinen produzieren Bücher – und sie müssen produzieren, weil das Geschäft nur dann ein Geschäft ist, wenn es «läuft». Jeder von uns kann sich im Handumdrehen eine größere Privatbibliothek als der Herzog von Urbino anschaffen.

Gewiß wollen wir uns darüber freuen, daß das wertvolle Buch so leicht zugänglich geworden ist und man nur zuzugreifen braucht, um Dante oder Livius, Camus oder Thomas Mann zu lesen. Und fast noch mehr dürfen wir uns darüber freuen, daß das billige Buch nicht mehr gleichbedeutend ist mit dem schlecht gedruckten und gebundenen Buch, daß auch die wohlfeilen Bücher immer schöner und geschmackvoller werden. Wir freuen uns darüber, daß in unserer technischen Zivilisation etwas für den Geist abfällt.

Und trotzdem beschleicht uns ein Unbehagen. Wer liest denn all diese Bücher? Was ist das für eine Kultur, die uns in überstürzter Hast mit Virgil und Karl Marx, mit Buddha und Norbert Wiener überschwemmt? Was kommt heraus, wenn Geist derart am Laufmeter konsumiert wird? Was hat das überhaupt noch mit Kultur, mit wirklicher Bildung zu tun, wenn man als Leser nur noch die Zielscheibe eines überdimensionierten Bücherangebotes ist, und es täglich und fast stündlich heißt, dies sollte man lesen und jenes dürfe man nicht übersehen und das Dritte müsse man unbedingt zur Kenntnis nehmen, und das Vierte, und das Hundertste und das Tausendste?

Wenn man im Herzogspalast von Urbino den kleinen Bibliotheksraum verläßt, entdeckt man eine Türe, die auf eine nicht allzu große Loggia hinausführt. Auf beiden Seiten ist sie von Türmen getragen, und man hat das Gefühl, sie sei zwischen ihnen aufgehängt im freien Raum. In der Tiefe liegt das grüne Hügelland der Marken. Aus der Bibliothek tritt man unvermittelt Erde und Himmel gegenüber. Hier setzte sich der kunstfreudige Herzog dann und wann mit einem Buche hin, las und dachte im Angesicht des Himmels und der Erde über das Gelesene nach. Hier der Mensch mit seinem Buch, dort die Elemente in ihrer Ursprünglichkeit. Das Vielfache und das Einfache, hier,

Auge in Auge, das Große als Spiegel des Kleinen und das Kleine als Spiegel des Großen.

Wer will es uns verbieten, auch heute so zu lesen? Mit einem Buch, dem Buch, das wir aus der Überfülle bewußt herausgegriffen haben, dürfen auch wir dem Spiegel gegenübertreten, als ob es nur dieses einzige Buch gäbe, wie es nur diesen einzigen Himmel gibt. Und die ganze Buchproduktion und alle Bestsellerlisten sollen uns in diesem Augenblick gleichgültig sein. Denn hier kann das Taschenbuch zum Symbol des Lebens werden, auch heute, und heute so gut wie immer. Wenn wir nicht Lesestoff konsumieren, sondern schlicht und einfach ein Buch lesen.

*

Bücher sind nur eine Seite unseres Daseins – aber in manchen Stunden geht unser ganzes Dasein in sie ein, sind sie uns Welt und einzige Wirklichkeit. Da bewegen wir uns durch Landschaften mit tiefen Wäldern, in denen wir uns verlieren können, lichtumflossenen Berggipfeln, von wo wir alles Geschaffene weithin überschauen, mit Brunnen, durch die wir auf den Grund des Lebens zu blicken vermeinen – und oft auch finden wir uns inmitten endloser Wüsten, oder am Saum der Brandung, in Maschinenhallen und im barocken Festsaal, im Labyrinth und an einer Schutthalde. Alles spiegelt sich im Buch, unser Herz, unsere Gedanken, unsere Ängste und Hoffnungen, das Gestern und das Morgen. Mit den Büchern haben wir Entzücken und Verzweiflung ausgekostet, saftiges Fruchtfleisch, scharfes Gewürz und drahtige Schoten, mit ihnen abends die Musik der Einsamkeit geliebt und die Bezüge im Gang des Geistes in klarer Morgenluft vor uns ausgebreitet gesehen.

Und so stehen sie denn in unseren Zimmern, die Bücher aus vielen Jahren, stehen in sich gekehrt in den Gestellen und blicken gleichmütig mit ihren goldenen und schwarzen Schriften auf uns herab. Sie warten und wissen, daß sie jeden Tag wieder neu in unser Leben eingreifen können, daß irgendwann der Funke wieder zündet und sie unsere Seele erneut besitzen werden.

Doch überall gibt es die vergessenen und nie gelesenen Bücher. Bei uns zuhause sind sie wohl selten, aber in den öffentlichen Bibliotheken und bei den Antiquaren ist ihre Zahl Legion. An einem lässigen Nachmittag oder an einem nachdenklichen Abend stößt man auf sie, die grau und verstaubt, verbogen und vergilbt, wie kleine alte Leute einfach da sind und warten. Viele sind innen kaum berührt, manche nicht aufgeschnitten; anderen ist anzusehen, daß sie in besseren Zeiten oft gelesen wurden. Da ist das dreibändige Werk über lateinische Lautlehre eines einst hochberühmten Gelehrten. Früher bildete es einen Grundstein aller sprachwissenschaftlichen Forschung; heute ist es längst überholt, veraltet, wird in Handbüchern und Vorlesungen noch respektvoll wie ein illustrer Dahingeschiedener zitiert, aber nie mehr gelesen. Da sind die Dramen, die vor einem halben Jahrhundert über fast alle Bühnen gingen, als Künder einer neuen Zeit, als Vertreter eines modernen Stils leidenschaftlich bejubelt und leidenschaftlich gehaßt wurden. Ihr Schwung ist erlahmt, ihre Stimmen sprechen zu uns nicht mehr, geziert und verstiegen erscheint ihr Ausdruck. Vergessen stehen die Bücher auf einem Regal im Keller. Da sind Gedichtbände, oft von ihren Verfassern unter materiellen Opfern herausgebracht. Aber auch die kleine Auflage war zu groß, der Verleger wollte sie nach Jahren nicht mehr in seinem Lager aufgestapelt sehen und hat sie zu einem Spottpreis verschleudert. Drei, vier Exemplare stehen nebeneinander, kaum je durchblättert: Aufschwünge und Ausbrüche, Reime und Rhythmen, die nur noch zwischen zwei Buchdeckeln ein unwirkliches Dasein führen. Da sind die zerlesenen und zerschlissenen Romane, die das Entzücken unserer Großeltern waren und als unliebsame Erbstücke den Weg ins Antiquariat gehen mußten, wo sie, vergessen und verachtet, immer unansehnlicher werden, eine gespenstische Tee-Einladung von vorgestern. Und da sind die Erzeugnisse wissenschaftlichen Eifers und gesellschaftlichen Strebens: Festschriften, Dissertationen, Habilitationsschriften, Sonderdrucke aus gelehrten Blättern, von Professoren um die halbe Welt an andere Professoren geschickt. Mumienhaft ist die Gegenwart dieser

Bücher, nie aufgeschnittene Bände sind wie totgeborene Kinder. Sie haben nie gewirkt, nie gelebt, sind leere, unfruchtbare Form, Druckerschwärze und Papier, das zerfällt mit gebräuntem Schnitt und gelösten Rücken.

Und doch steht in den vergessenen Büchern manche Zeile, manche Seite, in denen sich der Gedanke zur Gestalt gefunden hat und das Gefühl zum triftigen Wort. Aber ein sonderbares Schicksal hat sie ausgestoßen aus der Gemeinschaft und eine strenge Grenze gezogen zwischen ihnen und den Glücklichen. Denn es gibt die glücklichen Bücher; sie werden gekauft, gelesen, geliebt, manche wie junge Millionärssöhne umhegt und herumgereicht, während die große Schar der Vergessenen in Bibliotheken und Antiquariaten ein trübes, greisenhaftes Dasein sinnlos verlängert. Vielleicht – man möchte auch bei den Büchern an eine Gerechtigkeit glauben können – war bei ihnen von Anfang an etwas falsch, konnten sie nicht leben, weil ihr Erzeuger sich nicht ganz hingab für sie, und müssen sie deshalb wie Schemen vorüberziehen.

Einige unter ihnen aber werden irgendwann aus dem schweren Schlaf, in dem sie befangen sind, erwachen, in unsere menschliche Existenz eingreifen und in uns ein neues und größeres Dasein beginnen, wie ja alle Dinge nur in uns, wenn sie unsere Seele und unseren Geist berühren, zu wahrem Leben erwachen, die toten und die lebendigen.

*

«Lesen», schreibt Friedrich Schlegel in den *Athenäums-Fragmenten*, «heißt den philologischen Trieb befriedigen, sich selbst literarisch affizieren. Aus reiner Philosophie oder Poesie ohne Philologie kann man wohl nicht lesen.» Philologie, Liebe zum Wort, ist ein inneres «Engagement». Lesen bedeutet dann soviel wie das Umsetzen dieser Liebe in einen Akt, der zugleich Besitzergreifung und In-Besitz-genommen-werden, sowohl Aneignung als auch Hingabe ist. Die Lektüre als das Liebesfest des Philologen! Dabei spielt das Buch die Rolle der Geliebten, ja es ist die Geliebte. Aber hier gibt es

keine moralischen Bedenken noch Gesetze gegen die Poly-
gamie. Die Bibliotheken großer Leser sind einem Harem zu
vergleichen. Sie künden von grenzenlosen Ausschweifungen,
den einzigen, auf die kein Katzenjammer folgt.

Lesen – die «Befriedigung des philologischen Triebes» –
ist ein geistiger Vorgang. Aber das Buch ist auch an der materiellen Welt beteiligt. Es ist Papier – und wie viele verschieden-
artige Papiere gibt es nicht! –, Druckerschwärze, Leder, Leinen,
Glanzfolie. Schrift und Satzanordnung verleihen ihm eine
sinnliche Physiognomie. Auch die weißen Zwischenräume
sind sprechend (Mallarmé wußte einiges davon). Einbände
und Papiere haben bestimmte, oft unverwechselbare Gerüche.
Es gibt zum Beispiel den Nachkriegsgeruch des holzhaltigen
Papiers, Erinnerungen an wohlfeile Klassikerausgaben aus dem
«modernen Antiquariat». Oder ein Ledereinband schafft sehr
präzise Assoziationen mit Ferientagen aus der Kindheit (vielleicht ist es der Ledergeruch, wie damals an der Stalltüre).
Bücher öffnen und schließen sich auf ganz verschiedene Arten,
jedes ruht auf eine besondere Weise in der Hand: einschmei-
chelnd, nachgiebig, sperrig, unbekümmert, schwerfällig, ge-
wichtig, elegant, frivol.

Bücher sind darum etwas so Einzigartiges, weil sich in
ihnen das Immaterielle – «reine Philosophie oder Poesie» –
materialisiert. Und ebenso gilt das Umgekehrte: in ihnen
wird die Materie vergeistigt. Sie sind die vollkommene Synthese von Geist und Stoff; in jedem Buch wird der Manichäis-
mus unserer Welt überwunden. Wir können uns heute vorstellen, daß die Bücher eines Tages durch die neuen Formen
technischer «Nachrichtenspeicherung» und Nachrichtenüber-
mittlung verdrängt würden. Wir haben einzusehen gelernt,
daß auch das Buch nichts «Ewiges» ist. Aber sein Verschwinden
würde bedeuten, daß wir wieder ein Stück mühsam errun-
gener Einheit aufgeben. Ohne Buch, ohne Letter, könnten wir
uns nicht mehr «literarisch affizieren». Wir würden nur noch
zur Kenntnis nehmen. Der Geist bliebe dem Geist, die Sinne
blieben den Sinnen überlassen. Verlierer wäre der Mensch.

Welt im Gedicht

Die Eitelkeit der Erde

Vor mehr als drei Jahrhunderten, am 16. Juli 1664, starb ein deutscher Dichter, der zu den großen Sprachmeistern seiner Zeit, und nicht nur *seiner* Zeit, gehört. Er hieß Andreas Greif, nannte sich, gelehrtem Brauche folgend, Gryphius, und als Andreas Gryphius ist er für uns lebendig geblieben, weniger in seinen Trauerspielen, die ihn in seiner Epoche berühmt machten, als in seinen Komödien, und weniger in seinen Komödien als in seinen Gedichten, wo er ganz und unverhüllt lebt und zu uns spricht über drei Jahrhunderte hinweg.

> *Was kan die Feder nicht, die den das Leben giebt,*
> *An welchen Tod und Zeit hat ihre Macht verübt!*
> *Man kan der Sonnen Lauff, der Sternen schnelles Wesen,*
> *Der Kräuter Eigenschafft auff tausend Blättern lesen.*
> *Der Griechen ihre Kunst, der weiten Länder Art,*
> *Und was ein Mensch erdacht, wird in Papier verwahrt.*

Das sagt Gryphius in einem seiner Bühnenstücke, und an ihm selber hat sich erfüllt, daß denjenigen, an denen Tod und Zeit ihre Macht verübt haben, die Feder, das geschriebene und in Papier verwahrte Wort, Leben gibt.

Tod und Zeit: sie sind Stichworte im Werk des Andreas Gryphius – Tod und Zeit, die ihre Macht «verüben», nicht diskret und mild, sondern öffentlich und gewalttätig, wie es der Dreißigjährige Krieg der Gesellschaft, zu der unser Dichter gehörte, unmißverständlich vorführte. Zwar: es gab die Bildungsüberlieferung, «der Griechen ihre Kunst», wie es heißt, man nannte sich Gryphius statt Greif, um zu zeigen, daß man an ihr teil hatte, aber diese Bildung konnte nichts Endgültiges sein gegenüber dem Tod, der dreißig Jahre lang zwischen Ostsee und Alpen herrschte, und sie konnte kein Halt sein in der Zeit, die über Deutschland verwüstend hinging bis in die Randgebiete, bis nach Schlesien hinein, das die Heimat des Andreas Gryphius war. Da gab es nur eine Erkenntnis, die sich Gebildeten und

Ungebildeten aufdrängte: daß alles Menschenwerk vergänglich ist, und daß alles Schöne, Erhabene und Weise nur kurze Zeit Bestand hat:

Du sihst, wohin du sihst, nur Eitelkeit auf Erden.
Was diser heute baut, reißt jener morgen ein:
Wo itzund Städte stehn, wird eine Wisen seyn,
Auff der ein Schäfers-Kind wird spilen mit den Herden ...

Alles ist eitel, *Vanitas vanitatum vanitas:* das ist der Ruf der Zeit, in die Andreas Gryphius gehört, und es ist ein Ruf, dessen Wahrheit dreihundert Jahre später Europa in zwei Weltkriegen bitter neu erfahren mußte. Wir leben heute in einer Epoche der Restauration und des Wohlstandes – aber wie fragwürdig sind sie doch. Auch Gryphius erlebte nach dem Dreißigjährigen Krieg den Westfälischen Frieden, erlebte neuen Wohlstand und Wiederherstellung des Alten – aber die Einsicht, daß alles eitel ist, blieb seiner Generation unauslöschlich eingegraben. Großartig entfalteten damals die Fürsten ihren Prunk, baute die Kirche ihre Häuser, menschlicher Erfindungsgeist, die beginnende moderne Wissenschaft und der Bildungsbesitz des alten Europa zauberten ein Bild der Pracht und des Fortschritts über die Schlachtfelder, das Leben schien lebenswert wie kaum je. Und doch war das elementare Erlebnis, daß alles Menschliche brüchig und flüchtig ist, nicht hinwegzuwischen. Aus dieser doppelten Erfahrung lebten die Dichter der Barockzeit, und aus dieser Zwiespältigkeit heraus schrieben sie ihre Werke, in denen sie nicht Einheitlichkeit und Glätte, sondern das Widersprüchliche und Zweideutige zu verwirklichen suchten. Jeder Wahrheit steht eine andere Wahrheit gegenüber, jeder These eine Antithese: «Was diser heute baut – reißt jener morgen ein, wo itzund Städte stehn – wird eine Wisen sein.» Von Satz zu Gegensatz, von These zu Antithese steigert sich das Gedicht: Glück und Beschwerden, Ruhm und Traum, Blume und Staub: zwischen den Polen schwankt der Mensch, der «leichte Mensch», das «Spiel der Zeit», wie ihn der Dichter an anderer Stelle nennt.

In seiner Zwiespältigkeit und in seiner Doppelstellung zwischen Bildung und elementarem Erleben ist ein Mann wie Gryphius auch für uns durchaus modern. Sehen wir, wie er in einem Sonett den Abend beschreibt:

ABEND

Der schnelle Tag ist hin, die Nacht schwingt ihre Fahn
Und führt die Sternen auff. Der Menschen müde Scharen
Verlassen Feld und Werck, wo Thir und Vögel waren,
Traurt itzt die Einsamkeit. Wie ist die Zeit verthan!

Der Port naht mehr und mehr sich zu der Glider Kahn.
Gleich wie diss Licht verfil, so wird in wenig Jahren
Ich, du, und was man hat, und was man siht, hinfahren.
Diss Leben kömmt mir vor als eine Renne-Bahn.

Laß, höchster Gott, mich doch nicht auf dem Lauffplatz gleiten,
Laß mich nicht Acht, nicht Pracht, nicht Lust, nicht Angst
          verleiten!
Den ewig-heller Glantz sey vor und neben mir,

Laß, wenn der müde Leib entschläft, die Seele wachen,
Und wenn der letzte Tag wird mit mir Abend machen,
So reiß mich aus dem Thal der Finsternüss zu dir.

Wiederum ein starker, fast gewalttätiger Gegensatz zwischen der kunstvollen, ja gelehrten Form und dem Urerlebnis, das sich in diese Form ergießt! Auch hier: die Kürze des Lebens, die Hinfälligkeit des menschlichen Leibes sind es, auf die der Abend die Gedanken des Dichters lenkt. Die Zeit ist vertan, und wie der Abend hereinbricht, so wird auch in wenigen Jahren der Mensch ins Dunkel sinken. Der Dichter sagt das nicht einmal, sondern immer wieder. Er betont es, er wiederholt, er steigert die Aussage empor. Manchmal klingt es ganz einfach: Wie ist die Zeit vertan! Dann wieder kompliziert, in rhetorisch-gelehrter Umschreibung, wie in diesem Vers: «Der Port naht mehr und mehr sich zu der Glieder Kahn.» Was heißt das? Gryphius braucht einen Vergleich: der menschliche Leib – die Glieder – sind ein Schiff; dieses Schiff naht sich dem Hafen – dem Port. Der Hafen ist der Tod. Mit andern Worten: wie ein Kahn in den Hafen einfährt, so treiben wir dem Tod entgegen. Solche Ausdrucksweisen gehören nicht nur zur Barockdichtung, sondern auch zur Moderne: die Bilder und Vergleiche überschneiden sich, decken sich, sie werden nicht immer «aufgelöst», der Leser selber muß sie auflösen und in diesem Akt das Gedicht in sich aktiv mitvollziehen.

Man hat früher, aus einem völligen Unverständnis, in solchen Fällen von barockem Schwulst gesprochen. Die Wechselfälle unserer Gegenwart und die antithetische Dichtung, die sie provozierten, haben uns den Blick für die Barocklyrik geschärft und lassen uns erkennen, daß diese in ihrer gesteigerten Gegensätzlichkeit nichts anderes ist als ein Abbild der Antithetik, die in uns allen wohnt.

Es gibt bei Gryphius – und nicht nur bei ihm – dann freilich einen Punkt, an dem sich der von Wortspiel zu Wortspiel emporgetriebene Gegensatz aufhebt und erfüllt. Manchmal wird dieser Punkt nur angedeutet. Im Abendgedicht ist er deutlich bezeichnet, nämlich in den beiden Terzinen, den sechs Schlußzeilen, die mit der Anrufung Gottes beginnen: «Laß, höchster Gott, mich doch nicht auf dem Laufplatz gleiten!» Hier spricht der Dichter nicht mehr mit der Welt, sondern zu Gott. Der Gegensatz zwischen Tag und Nacht, zwischen Zeitlichkeit und Dauer, zwischen Pracht und Angst hebt sich auf in der Bitte: So reiß mich aus dem Tal der Finsternis zu Dir! Die Vieldeutigkeit des menschlichen Daseins wird überhöht vom Gebet, wie sich über der spannungsreichen barocken Fassade die Kuppel mit dem Kreuz erhebt.

Fabelwelt, Menschenwelt

Es gibt Dichter, die fast jedermann zu kennen meint und die im Grunde doch die allerwenigsten kennen, weil sich das, was man von ihnen weiß, meist nur auf das Oberflächliche bezieht und auf das Stoffliche. Eichendorff: das ist Waldesrauschen und Wanderslust, oder Gotthelf: Annebäbi und Stallbänklein, aber wie wenig haben wir von Eichendorff und von Gotthelf, von dem, was sie als Dichter groß macht, begriffen, wenn wir es dabei bewenden lassen, und leider lassen wir es sehr oft dabei bewenden. So glaubt auch fast jedermann Jean de La Fontaine zu kennen: das ist doch der amüsante Franzose, der vor ein paar hundert Jahren Fabeln geschrieben hat, die Geschichten vom Raben, der seinen Käse fallen läßt und vom Fuchs, dem die Trauben zu sauer sind. Aber sonst?

Sonst? Ich zitiere einen kleinen Abschnitt aus dem Aufsatz *Ein Vormittag beim Buchhändler*, von Carl J. Burckhardt: «‹Natürlich die Form›, rief der Bibliothekar, ‹was denn sonst? Etwa die Moral? Nein, vorerst ging es darum, ein Kunstwerk zu schaffen; ein Kunstwerk, das ist ein ganz kunstmäßig bewußt hergestelltes Gebilde mit dem Verstand und dem Können eines vollendeten Handwerkers, mit diesem Entzücken vor dem Leben selbst, dieser Lust in der Betrachtung der sichtbaren Welt, dieser wunderbaren Frische und Erregbarkeit, dieser Erfahrung des Liebenden, des am Hofe unter Menschen Wirkenden, diesem französischen malerischen Sinn, dieser vollendeten Technik der Versifikation mit diesem unvergleichlichen Wissen, dieser Intuition von der Musik der Worte.›»

Von wem wird hier gesprochen? Von dem Fabeldichter Jean de La Fontaine, und es ist ein Franzose, oder genauer ein Elsäßer, der Bibliothekar der *Ecole Normale Supérieure*, eines der großen französischen Bildungsinstitute, der hier in der Hinterstube einer Pariser Buchhandlung vor dem deutschen Dichter Rainer Maria Rilke, dem Antiquar Augustin und dem jungen Schweizer Historiker Burckhardt in diese begeisterte Lobpreisung des alten Fabelschreibers ausbricht. Von diesem La Fontaine ist es schwer, die Brücke zu schlagen zu den soweit ganz lustigen, aber doch recht altmodischen und manchmal, wie einem schien langfädigen und gar gewunden daherredenden Texten, mit denen man sich vielleicht in einer der oberen Französischklassen herumschlagen mußte. Aber wie sollen wir den wirklichen La Fontaine erfassen, wenn wir nur auf grammatikalische Formen achten müssen, statt auf die wunderbare Musik der Sprache, das Auf und Nieder der Verse, die blitzenden Pointen, das Plaudern, Murmeln, Wispern und Rufen all der Tierstimmen, die so menschlich klingen und unserer eigenen Menschlichkeit den ironisch geschliffenen Spiegel vorhalten, wie hier:

> *Une Grenouille vit un Boeuf*
> *Qui lui sembla de belle taille.*
> *Elle, qui n'étoit pas grosse en tout comme un œuf,*
> *Envieuse, s'étend, et s'enfle, et se travaille,*
> *Pour égaler l'animal en grosseur,*
> *Disant: «Regardez bien, ma sœur;*
> *Est-ce assez? dites moi; n'y suis-je point encore?*
> *– Nenni. – M'y voici donc? – Point du tout. – M'y voilà?*
> *– Vous n'en approchez point.» La chétive pécore*
> *S'enfla si bien qu'elle creva.*

> *Le monde est plein de gens qui ne sont pas plus sages:*
> *Tout bourgeois veut bâtir comme les grands seigneurs,*
> *Tout petit prince a des ambassadeurs,*
> *Tout marquis veut avoir des pages.*

Was geschieht? Ein Frosch sieht einen Ochsen und möchte so groß werden wie dieser, er pumpt sich mit Luft voll, bläst sich auf, immer mehr, bis er zuletzt platzt. Und nun wendet sich der Dichter unvermittelt direkt an den Leser, setzt ihm sozusagen den Finger auf die Brust, indem er sagt: «Die Welt ist voll von Leuten, die nicht gescheiter sind». Das Folgende ist der Beweis für diese Feststellung; La Fontaine bezieht ihn aus seiner Zeit, seiner Umwelt – wie könnte er auch anders: Jeder Bürger will wie die großen Herren bauen, jedes Fürstlein hält sich Botschafter, jeder kleine Adelige Pagen. Das ist gewiß nicht mehr aktuell. Aber wer will, gerade in unserer Konjunkturzeit, bestreiten, daß *le monde est plein de gens qui ne sont pas plus sages?* Was der Dichter hier glossiert, ist das Gefühl für die richtigen Proportionen, das seinen Zeitgenossen abhanden gekommen ist. Seinen, aber auch unseren Zeitgenossen. Was er, unausgesprochen, meint, ist dies: jeder sollte das sein, was er in Wirklichkeit ist, sollte den Platz im Ganzen, den ihm die Natur zugewiesen hat, erfüllen. In diesem Plädoyer für die richtigen Proportionen finden wir etwas eminent Französisches. Und wenn wir fragen, warum La Fontaine eigentlich ein Klassiker genannt werde, kann eine mögliche Antwort so lauten: Weil er für das Maß und gegen das Unmaß ist. Aber La Fontaine wäre kein Dichter, sondern ein dürrer Theoretiker, wenn er es dabei bewenden ließe. Als Dichter sieht er die so ganz andere Wirklichkeit der Welt, sieht er Hochmut, Grausamkeit, Feigheit, Gemeinheit. Von ihnen – nicht vom Maß – spricht er vor allem. Und aus der Spannung zwischen dem, was ist, und dem, was eigentlich sein sollte, gewinnen diese Fabeln ihre so tief menschliche und unter ihrer Ironie manchmal gar nicht lustige Weisheit.

Gar nicht lustig ist es, wenn wir zu Beginn der Fabel vom Wolf und vom Lamm lesen:

> *La raison du plus fort est toujours la meilleure:*
> *Nous l'allons montrer tout à l'heure.*

Nicht am Schluß, wie allgemein üblich, sondern am Anfang der Fabel steht hier die Moral, daß der Stärkere im Leben immer Recht habe – eine unheilvolle Devise, ein Leitmotiv nicht nur dieser kleinen Dichtung, sondern der ganzen *Comédie humaine*, die im Grunde eine Tragödie ist. Denn genau wie hier in der bündigen Formulierung La Fontaines, folgt meist auch im Leben die bittere Erfahrung so plötzlich auf die Erkenntnis, wie die Dinge eigentlich bestellt sind, so *tout à l'heure*, daß der unselige Betroffene kaum Zeit findet, sich zu fassen.

Man sollte sich darüber klar sein, wie pessimistisch das Bild der Welt und des Menschen ist, das uns der Dichter vorführt. Wer der Literatur unserer Zeit ihren Pessimismus vorwirft, könnte daraus seine Lehren ziehen. Will man La Fontaine, den man so harmlos didaktisch glaubte, seine «Schwarzmalerei» vorwerfen? Er würde lächelnd antwortend fragen, ob es denn seine Schuld sei, wenn die Menschen eben tatsächlich so und nicht anders seien. Gemeinheit und Gewalttätigkeit also entdecken wir unvermutet auch hinter der schönen Fassade der idealen Gesellschaft eines *Grand Siècle*. Und dabei hätten wir vom Dichter doch so gerne Trost, Zuspruch, Rat und Hilfe! Aber gerade damit will und kann uns kein Dichter dienen. Oder vielleicht doch? Wenn wir das «Positive» nicht aus ihm herausziehen wollen, sondern es selber aus uns in sein Werk hineintragen?

In der Fabel von der Eiche und vom Schilfrohr beklagt der mächtige Baum den schwachen Halm: *La nature envers vous me semble bien injuste.* Das ist dieselbe Ungerechtigkeit, die dem Wolf das Lamm opfert. Aber das Schilfrohr weiß es besser: Warten wir das Ende ab! Und dieses Ende, ein Sturmwind, fällt den stolzen Riesen, während sich das Rohr biegt und davonkommt. Da ist plötzlich das Recht des Stärkeren nicht mehr das bessere. Eine neue Ordnung der Werte deutet sich an, nicht eine aus der Sicht des Lebens, sondern aus der Sicht des Endes. Mit dem einen Wort *Mais attendons la fin* ist über der Menschenwelt der Fabel ein Schein der Gerechtigkeit aufgegangen.

Sehnsucht

In einem Brief an Gottfried Herder vom 4. November 1795 kommt Friedrich Schiller auf die Frage zu sprechen, ob Poesie in unmittelbarem Zusammenhang mit den allgemeinen Lebensverhältnissen stehe oder ob sie eine Sache für sich sei. Er widerspricht der Meinung Herders, Dichtung gehe aus der Welt und aus dem Leben hervor und bilde mit diesen zusammen ein Bündnis, aufs entschiedenste und stellt fest, er wisse «für den poetischen Genius kein Heil, als daß er sich aus dem Gebiet der wirklichen Welt zurückzieht und anstatt jener Koalition, die ihm gefährlich sein würde, auf die strengste Separation sein Bestreben richtet. Daher scheint es mir gerade ein Gewinn für ihn zu sein, daß er seine eigene Welt formiert und durch die griechischen Mythen der Verwandte eines fernen, fremden und idealischen Zeitalters bleibt, da ihn die Wirklichkeit nur beschmutzen würde». Die Feststellung ist so eindeutig, wie man es bei einem Mann wie Schiller nur immer erwarten kann. Kunst – in unserem Fall lyrische Dichtung – gehört für ihn in ein Reich des Absoluten und Idealen, das von der Alltagswirklichkeit abgesondert ist und über die Jahrhunderte hinweg seine Entsprechung in der Kultur der Griechen findet. Wie hat sich, so dürfen wir fragen, dieser Glaube des deutschen Idealismus bei Schiller konkret in der Dichtung verwirklicht und damit auch seine Rechtfertigung gefunden? Wir sprechen hier nicht vom Verfasser des *Wilhelm Tell* und der *Ästhetischen Erziehung des Menschen*, sondern vom Lyriker Schiller, wie er selber im zitierten Brief ausdrücklich die Poesie – im Gegensatz zur Prosa – im Auge hat. Das folgende Stück stammt aus Schillers späterer Lebensepoche, gehört also in den Kreis seiner bedeutenden Gedankenlyrik.

Ach, aus dieses Tales Gründen,
Die der kalte Nebel drückt,
Könnt' ich doch den Ausgang finden,
Ach, wie fühlt' ich mich beglückt!
Dort erblick' ich schöne Hügel,
Ewig jung und ewig grün!
Hätt' ich Schwingen, hätt' ich Flügel,
Nach den Hügeln zög' ich hin.

Harmonieen hör' ich klingen,
Töne süßer Himmelsruh',
Und die leichten Winde bringen
Mir der Düfte Balsam zu.
Goldne Früchte seh' ich glühen,
Winkend zwischen dunkelm Laub,
Und die Blumen, die dort blühen,
Werden keines Winters Raub.

Ach, wie schön muß sich's ergehen
Dort im ew'gen Sonnenschein!
Und die Luft auf jenen Höhen –
O, wie labend muß sie sein!
Doch mir wehrt des Stromes Toben,
Der ergrimmt dazwischen braust;
Seine Wellen sind gehoben,
Daß die Seele mir ergraust.

Einen Nachen seh' ich schwanken,
Aber, ach! der Fährmann fehlt.
Frisch hinein und ohne Wanken!
Seine Segel sind beseelt.
Du mußt glauben, du mußt wagen,
Denn die Götter leihn kein Pfand;
Nur ein Wunder kann dich tragen
In das schöne Wunderland.

Das Gedicht heißt *Sehnsucht*. Das könnte ein romantisches Motiv sein, ist es aber bei Schiller nicht. Bei ihm deutet der Titel auf die Dualität von Wirklichkeit und Ideal, die er in anderem Zusammenhang auch philosophisch umschrieben hat. Von der Wirklichkeit vernehmen wir im Gedicht wenig, aber dieses wenige genügt: sie ist ein tiefes Tal, auf das «der kalte Nebel drückt», und ein reißender Strom trennt es vom Ideal – wir erinnern uns des Ausdrucks «Separation» in dem erwähnten Brief. Das Ideal – die «eigene Welt», wie Schiller sagt – tritt auf in der Gestalt eines wunderbaren Landes, in dem die schöne Jahreszeit ewig dauert. Grüne Hügel, balsamische Winde, Blumen, goldene Früchte in dunklem Laub, Sonnenschein und eine überirdische Musik sind seine Attribute. Es ist eine stilisierte, keine reale Landschaft, gerade darin nicht real, daß sie keine besonderen Züge trägt. Die Schilderung bewegt sich völlig im Allgemeinen, Schematischen. Das Land ist zwar vorstellbar, aber es ist nicht vorgestellt. Hügel, Winde, Blumen, Früchte, all das sind Gemeinplätze der Landschaftsdarstellung, die sich vom Altertum bis in die Gegenwart in unzähligen Schriftwerken finden, wo ein Reich der Schönheit und des Glücks beschrieben werden soll, vorgeprägte literarische Formeln des Bildungsschatzes. Auch die Ideallandschaft selber als Ausdruck der Vollkommenheit ist eine solche jahrtausendalte Formel, wie wir sie als Garten Eden bereits aus der Bibel kennen; ewiger Frühling und Himmelsmusik gehören ebenfalls in diesen Zusammenhang. Schiller steht hier als Dichter in einer ehrwürdigen abendländischen Tradition. Aber eine derartige Traditionsverbundenheit kann auf Kosten der originalen poetischen Sprache gehen. Zwar entscheidet die Originalität des Ausdrucks – was immer man heutzutage auch behauptet – allein nicht über den Rang eines Kunstwerks. Und Schiller geht es ja auch um etwas anderes: um die Idee der vollkommenen Welt, in letzter Instanz um die Idee des Schönen und Guten überhaupt. Diese Idee trägt sein Gedicht – aber ob sie in ihm sinnlich faßbar werde, ist eine andere Frage. Künstlerische Gestaltung ist immer – auf irgendeine Weise –

Versinnlichung des Abstrakten. Man spürt, wie Schiller über das Abstrakte nie recht hinauskommt, wie er zu allzu geläufigen Bildern und Wortverbindungen greifen muß, um seiner Vorstellung Gestalt zu verleihen: kalter Nebel, ewig jung, süße Himmelsruh, ewger Sonnenschein. Aus diesem Grund wirkt sein Gedicht steif, rhetorisch, fast unpersönlich. Und wo der Ton persönlich wird – «Du mußt glauben, du mußt wagen,/ Denn die Götter leihn kein Pfand» –, ist es der Ton der männlichen Rede, des moralischen Anspruchs, der keiner Bilder bedarf, um zu treffen.

Wir gingen von der Frage aus, ob sich der Glaube an ein autonomes Reich des Poetischen in Schillers Gedicht rechtfertige. Wir können diese Frage mit gutem Gewissen nicht positiv beantworten. Ein Zwiespalt bleibt bestehen.

Und nun ein Gedicht von Joseph von Eichendorff, eines seiner berühmtesten Stücke. Es stammt aus dem Jahre 1834 und trägt ebenfalls den Titel:

SEHNSUCHT

Es schienen so golden die Sterne,
Am Fenster ich einsam stand
Und hörte aus weiter Ferne
Ein Posthorn im stillen Land.
Das Herz mir im Leib entbrennte,
Da hab ich mir heimlich gedacht:
Ach, wer da mitreisen könnte
In der prächtigen Sommernacht!

Zwei junge Gesellen gingen
Vorüber am Bergeshang,
Ich hörte im Wandern sie singen
Die stille Gegend entlang:
Von schwindelnden Felsenschlüften,
Wo die Wälder rauschen so sacht,
Von Quellen, die von den Klüften
Sich stürzen in die Waldesnacht.

Sie sangen von Marmorbildern,
Von Gärten, die überm Gestein
In dämmernden Lauben verwildern,
Palästen im Mondenschein,
Wo die Mädchen am Fenster lauschen,
Wann der Lauten Klang erwacht
Und die Brunnen verschlafen rauschen
In der prächtigen Sommernacht.

Auch Eichendorff glaubt an das Reich der Poesie, aber nicht als Reservat sieht er es, sondern als wirkende Kraft im Leben und in der Welt. Von der «rechten Poesie» heißt es bei ihm: «Ihr erster und einziger Zweck ist nicht die Konstruktion der Idee, sondern die Schönheit, die immer schon von selbst ideal ist. Sie sieht und gibt in unmittelbarer Anschauung die Idee gleich fertig im Bilde, wie die Blume den Duft ...» Das Primäre im lyrischen Gedicht ist nicht der Gedanke, sondern die Anschauung. *Sehnsucht*, der Titel, der bei Schiller einen derart programmatischen Beigeschmack hat, gewinnt bei Eichendorff seinen wahren Gefühlswert. Sein Gedicht könnte auch ganz anders heißen, «Nachtgefühl» oder «Es gingen zwei Gesellen», aber die Sache selber, die nicht vom Begriff abhängt, ist da, indem durch eine zauberhaft schwebende Verbindung von Worten und Klängen im Hörer oder Leser selber das Gefühl der Sehnsucht beschworen wird. Während Schiller in seinem Gedicht doziert, singt Eichendorff.

Er beginnt scheinbar mit einer Beschreibung: Die Sterne scheinen, ein einsamer Mann steht am Fenster, das Posthorn erklingt – damit ist das musikalische Motiv bereits angeschlagen –, zwei Wanderer ziehen unter dem Fenster vorüber. Und nun, genau in der Mitte des Gedichts, geht die Beschreibung in ein Lied über: nun sind es die Wanderer selber, die von Felsen, Wald und Palästen im Mondschein singen. Aber unmerklich vereinigt sich die prächtige Sommernacht in ihrem Lied mit der prächtigen Sommernacht, von der der Dichter zu Beginn spricht: ein Kreis schließt sich, und das ganze Gedicht beginnt zu klingen, wird zum Lied. Dabei ist im einzelnen alles von größter Einfachheit; die poetische Wirkung stammt nicht aus Worten, die an sich besonders originell sind, sondern aus dem Zusammenklang von Rhythmus, Reim, Assonanz, der das poetische Bild trägt.

Der Unterschied zwischen Schiller und Eichendorff ist nicht in erster Linie der zwischen Klassik und Romantik, zwischen «Vollendung und Unendlichkeit», wie man gesagt hat, denn als dichterisches Gebilde sind die Strophen Eichendorffs vollendet, diejenigen Schillers zwiespältig. Der Unterschied liegt vielmehr darin, daß Schiller sich von der Wirklichkeit, die er schmutzig nennt, abwendet, um eine eigene Welt der Poesie zu finden, während Eichendorff diese Welt selber in seinem Gedicht poetisch verwandelt und dadurch erhöht.

Des Knaben Wunderhorn

In unserem Schullesebuch gab es, zwischen Erzählungen und Prosastücken, auch Gedichte; man erkannte sie daran, daß die Zeilen nicht bis zum Rand ausliefen und daß sie durch deutliche Abstände in einzelne Versgruppen gegliedert waren. Im Gegensatz zu den geschlossenen Prosablöcken wirkten sie dadurch kostbar und feierlich. Bei einigen dieser Gedichte war zu lesen: «Aus *Des Knaben Wunderhorn*.» Wunderhorn: ein seltsames Wort! Es hat auf mich immer eine ganz besondere Wirkung ausgeübt. Ich konnte mir nicht recht vorstellen, was es bedeute, und der Zusammenhang mit dem Knaben war mir erst recht rätselhaft, aber ich wußte: es war wunderbar und hatte mit Gedichten zu tun. Aus ihm stammten die Gedichte, die in meinem Lesebuch standen. Vielleicht gehörte dieses Horn zu einem zauberhaften Tier, vielleicht war es ein Füllhorn, angefüllt mit Gedichten, oder es war ein Horn, auf dem der rätselhafte Knabe blies – so dachte ich damals, aber vermutlich weniger genau, als ich es jetzt schildere. Später habe ich dann das Buch in Händen gehalten. Es heißt *Des Knaben Wunderhorn. Alte deutsche Lieder, gesammelt von Ludwig Achim von Arnim und Clemens Brentano.* Dieses Buch, es ist für mich ein Zauberbuch geblieben, ein Füllhorn, ein Fabeltier und ein wunderbares Instrument, das in manchen Stunden zu klingen beginnt, ganz so, wie es im ersten Gedicht beschrieben ist: «Und diese Glocken all, / Sie geben süßen Schall / Wie nie ein Harfenklang / Und keiner Frauen Sang.»

Arnim und Brentano haben *Des Knaben Wunderhorn* in drei Bänden in den Jahren 1806 bis 1808 publiziert, aus romantischer Neigung zum Folkloristischen und Altertümlichen kam der Plan zustande, philologischer Eifer und Sinn für Poesie in nicht alltäglicher Konstellation ließen ihn seine einzigartige Verwirklichung finden. Das Buch ist aus vielen Quellen zusammengeflossen, Arnim und Brentano schrieben nicht nur mündlich Überliefertes auf, sondern benützten auch Gedrucktes aller Art, Almanache, Gesangbücher, fliegende Blätter, Gedichtsammlungen des Spätmittelalters und der Barockzeit, darunter auch manches Zeugnis schwächlicher und degenerierter Poesie. Nach heutigen Begriffen sind die Texte nicht sehr zuverlässig, man hat festgestellt, daß eine kritische Zurückführung auf die alten Vorlagen vom *Wunderhorn* «fast nur noch den Titel» übrigläßt. Und doch bleibt das Buch in der Form, die ihm Arnim und Brentano gegeben haben, unersetzlich, und nicht nur als Dokument, sondern in unmittelbarem Sinn als poetischer Schatz, als ungeteiltes Ganzes, nicht als *Reader's Digest;* es ist ein Mikrokosmos, eine Welt im Kleinen, mit ihren Vollkommenheiten und ihren Schwächen, ihren Überraschungen und Enttäuschungen, die uns immer wieder einlädt, ihre Bezirke entdeckungsfreudig zu durchstreifen.

So stoßen wir etwa, gleich zu Beginn, auf folgendes:

GROSSMUTTER SCHLANGENKÖCHIN

«Maria, wo bist du zur Stube gewesen?
Maria, mein einziges Kind!»

Ich bin bei meiner Großmutter gewesen,
Ach weh! Frau Mutter, wie weh!

«Was hat sie dir dann zu essen gegeben?
Maria, mein einziges Kind!»

Sie hat mir gebackne Fischlein gegeben,
Ach weh! Frau Mutter, wie weh!

«Wo hat sie dir dann das Fischlein gefangen?
Maria, mein einziges Kind!»

Sie hat es in ihrem Krautgärtlein gefangen,
Ach weh! Frau Mutter, wie weh!

«Womit hat sie dann das Fischlein gefangen?
Maria, mein einziges Kind!»

Sie hat es mit Stecken und Ruten gefangen,
Ach weh, Frau Mutter, wie weh!

«Wo ist dann das übrige vom Fischlein hinkommen?
Maria, mein einziges Kind!»

Sie hat's ihrem schwarzbraunen Hündlein gegeben,
Ach weh! Frau Mutter, wie weh!

«Wo ist dann das schwarzbraune Hündlein hinkommen?
Maria, mein einziges Kind!»

Es ist in tausend Stücke zersprungen,
Ach weh! Frau Mutter, wie weh!

«Maria, wo soll ich dein Bettlein hin machen?
Maria, mein einziges Kind!»

Du sollst mir's auf den Kirchhof machen,
Ach weh! Frau Mutter, wie weh!

Goethe, dem die Herausgeber des *Wunderhorns* ihr Werk zugeeignet hatten, widmete dem Buch in der *Jenaischen Allgemeinen Literaturzeitung* eine berühmt gewordene Besprechung, in der er die über zweihundert Stücke des ersten Teils jedes mit einigen Worten charakterisiert. Zu *Großmutter Schlangenköchin* bemerkt er: «Tief, rätselhaft, dramatisch vortrefflich behandelt.» Dramatisch: das Gedicht ist ein Zwiegespräch zwischen Mutter und Tochter, dramatisch und nicht nur rätselhaft allein ist aber auch sein Motiv, der Anschlag der alten Schlangenköchin auf das Leben des Kindes, dramatisch ist schließlich die Steigerung, von der Beschreibung des Besuchs, der Mahlzeit, des Fischgerichts, dem Hündlein, das die Reste frißt, bis zu dem schrecklichen Bericht, daß es dabei gestorben ist: «Es ist in tausend Stücke zersprungen.» Hier, an dieser Stelle, zerspringt gleichsam auch das Gedicht, das sich bisher aus allmählich gesteigerter Erwartung aufgebaut hat und aus der unausgesprochenen Frage, warum das Mädchen denn wohl bei jeder Antwort in Klagen ausbreche. Jetzt, mit

31

einem Schlag, ist alles klar geworden, und die letzte Frage der Mutter nach dem Bett des Kindes mit der unendlich traurigen Antwort «Du sollst mir's auf dem Kirchhof machen» läßt die jäh gelöste Spannung in die Tiefe sinken und mit der letzten Klage ausklingen.

Ganz andere Gefühle erweckt ein Gedicht aus dem Ende des ersten Teils, obwohl auch es einen recht makabren Titel trägt.

HIER LIEGT EIN SPIELMANN BEGRABEN

«Guten Morgen, Spielmann,
Wo bleibst du so lang?»
Da drunten, da droben,
Da tanzen die Schwaben,
Mit der kleinen Killekeia,
Mit der großen Kum Kum.

Da kamen die Weiber
Mit Sichel und Scheiben
Und wollten den Schwaben
Das Tanzen vertreiben,
Mit der kleinen Killekeia,
Mit der großen Kum Kum.

Da laufen die Schwaben
Und fallen in Graben,
Da sprechen die Schwaben:
«Liegt ein Spielmann begraben,
Mit der kleinen Killekeia,
Mit der großen Kum Kum.»

Da laufen die Schwaben,
Die Weiber nachtraben
Bis über die Grenze
Mit Sichel und Sense:
«Guten Morgen, Spielleut,
Nun schneidet das Korn.»

Goethe bemerkt dazu: «Ausgelassenheit, unschätzbarer sinnlicher Bauernhumor.» Bauernhumor? Wenn man unbedingt will, vielleicht – obwohl wir seit langem wissen, daß die sogenannten Volkslieder in den seltensten Fällen vom Volk selber verfaßt wurden. Sinnlicher Humor? Wir können das auf eine bestimmte Weise deuten: Sinnlichkeit im Gedicht als Sinnlichkeit der Sprache. Das heißt: Die Sprache selber wird gleichsam zum vollen, lebendigen, sinnlich gegenwärtigen Körper, zum Laut- und Klangkörper. Sie beginnt zu musizieren. Genau das geschieht in einem solchen Gedicht. Ob die Killekeia und die Kum Kum Instrumente sind, warum die Weiber nebst den Sicheln ausgerechnet Scheiben mittragen, was das überhaupt für eine krause Geschichte mit dem begrabenen Spielmann, den Schwaben und den Weibern ist, das ist nur sehr nebenher interessant, oder überhaupt nicht, weil nämlich die Sprache hier selber zu reden, zu tanzen, zu turnen und zu traben beginnt – wie in den schönsten Gedichten von Hans Arp etwa, der es auch versteht, ein Wunderhorn zu blasen. Im Gedicht von der Schlangenköchin ist die poetische Struktur sehr einfach, linear – deshalb allerdings nicht weniger eindrucksvoll –, sie beruht auf dem Hin und Her von Frage und Antwort und auf bestimmten Wiederholungen, musikalischen Reprisen. Im Spielmannsgedicht wird die Sache komplizierter, arabeskenhaft reich und vielgestaltig bis hinein in die Reime. Auch die inhaltlichen Motive purzeln vergnüglich durcheinander. Man kann zwar zur Not eine Begebenheit rekonstruieren von einer Gesellschaft fröhlicher Schwaben, die auf dem Grab eines Spielmanns tanzen, bis sie von den Weibern angegriffen, verfolgt und schließlich gezwungen werden, für sie das Korn zu schneiden. Aber viel wichtiger ist es, die Motive unmittelbar auf sich einwirken zu lassen und zu erleben, wie die Schwaben und die Weiber sich gegenseitig durch das Gedicht hin in wildem Durcheinander nachjagen, während die kleine Killekeia und die große Kum Kum dazu am Ende der Strophe den Takt schlagen. Wenn irgendwo, so muß uns hier bewußt werden, daß Gedichte in erster Linie

nie Information in des Wortes üblicher Bedeutung sind, sondern Gebilde des versinnlichten Geistes und der vergeistigten Sinne, und daß uns der Klang dieses Wunderhorns an einer Stelle zu rühren vermag, die keiner andern Stimme, auch nicht derjenigen des kritischen Verstandes, zugänglich ist.

Schatten des Abends

Die folgenden drei Gedichte sind keine Entdeckungen und keine Exklusivitäten. Sie gehören zu unserem literarischen Erbe, zu dem, was Rudolf Borchardt den *Ewigen Vorrat deutscher Poesie* nannte. Man liest sie in der Schule, in der Klasse – sie sind, auch in diesem unmittelbaren Wortsinn, klassische Stücke, Lesebuchgedichte. Nun sind Anthologien zwar nützliche Bücher, aber sie können Gedichte starr und tot machen, und das Wort vom ewigen Vorrat der Poesie, es soll das Höchste bezeichnen, aber wie oft wird es zum Deckmantel für geistige Trägheit und Gleichgültigkeit. Große, sprachmächtige Dichtung ist nie konformistisch. Sie kann uns aufrühren oder beglücken, sie wird uns nie in einem landläufigen Sinn beruhigen, weil sie uns immer einer neuen Welt gegenüberstellt, dem Unvorhergesehenen, das gerade nicht so ist, wie man meint, daß es sein müsse.

Auf unsere drei Gedichte trifft das genau zu. Sie haben einen gemeinsamen Gegenstand: die Schilderung des Abends. Ein herkömmliches, ein wohlvertrautes Thema also. Sollen wir es konventionell nennen? Aber es gibt keine konventionellen Themen, es gibt nur konventionelle Gedichte, das heißt Gedichte, die keine eigene Sprache sprechen. Die drei Abendgedichte besitzen diese eigene Sprache, und mit der Sprache läuft das andere mit: daß der Abend jedesmal seine eigene Gestalt besitzt, unverwechselbar, wie jeder Augenblick im menschlichen Leben einmalig ist.

Das erste Gedicht ist von Goethe. Es besitzt keinen eigentlichen Titel, sondern stammt aus dem Zyklus, den Goethe in seinen letzten Lebensjahren verfaßte und angeregt durch die Lektüre chinesischer Dichtungen *Chinesisch-deutsche Jahres- und Tageszeiten* nannte. Chinesisch sind daran freilich nur einzelne Motive und Formelemente; das Wesentliche ist auf die persönlichste Weise Goethisch.

Dämmrung senkte sich von oben,
Schon ist alle Nähe fern;
Doch zuerst emporgehoben
Holden Lichts der Abendstern!
Alles schwankt ins Ungewisse,
Nebel schleichen in die Höh;
Schwarzvertiefte Finsternisse
Widerspiegelnd ruht der See.

Nun im östlichen Bereiche
Ahn ich Mondenglanz und – Glut,
Schlanker Weiden Haargezweige
Scherzen auf der nächsten Flut.
Durch bewegter Schatten Spiele
Zittert Lunas Zauberschein,
Und durchs Auge schleicht die Kühle
Sänftigend ins Herz hinein.

In diesem Gedicht ist alles in Bewegung, aber nicht in einer heftigen, sondern in einer harmonisch kreisenden Bewegung. Die Dämmrung senkt sich von oben nach unten, das Licht des Abendsterns hebt sich von unten nach oben, die Nebel schleichen in die Höhe, und die Finsternisse – die Schatten – sinken widerspiegelnd tief in den See hinein. Ein kosmischer Rhythmus erfüllt die erste Strophe, der vom Versmaß und den Reimen mitgetragen wird. Im zweiten Teil des Gedichts richtet sich der Blick nach Osten, und eine neue Bewegung wird sichtbar: das Aufsteigen des Mondes. Etwas lebhafter, aber immer gedämpft, erscheint das Spiel des Mondlichts in den Weidenbäumen – dem Haargezweige – und auf dem Wasser, und dann führt die letzte Bewegung gemessen, fast selbstverständlich, hinein in das Innere des betrachtenden Menschen – sänftigend ins Herz hinein. Was in diesem Gedicht mit einem erstaunlichen Aufwand an präzisen Beobachtungen beschrieben wird, der Anblick der eindämmernden und vom Mondlicht erfüllten Seelandschaft, wird zum Abbild der Seele, ihrer

Regungen, die organisch sind wie Ein- und Ausatmen. Licht und Schatten gehen ein in *eine* Harmonie.

Das zweite Gedicht ist von Joseph von Eichendorff.

DER ABEND

Schweigt der Menschen laute Lust:
Rauscht die Erde wie in Träumen
Wunderbar mit allen Bäumen,
Was dem Herzen kaum bewußt,
Alte Zeiten, linde Trauer,
Und es schweifen leise Schauer
Wetterleuchtend durch die Brust.

Ein romantisches Gedicht. Aber was heißt hier romantisch? Die Motive: die rauschenden Bäume, die Träume, die linde Trauer, die Vergangenheit (die «alten Zeiten»), die leisen Schauer – die Reime: Träume/Bäume, Trauer/Schauer. Doch das allein ist es nicht. Es gibt in diesem Gedicht ein Schlüsselwort, es findet sich genau in seinem Zentrum und heißt «kaum bewußt». Das ganze Gedicht ist eine Beschwörung des Unbewußten – der Träume, der Erinnerung, der Trauer, der unaussprechlichen Ahnung. Aber mit wieviel Kunstverstand wird da beschworen, mit welch raffinierter Einfachheit! Die Reime hallen, vom ersten bis zum letzten Vers, wie Echorufe durch das Gedicht und schaffen die Weite des Raums; die einzelnen, präzis kaum faßbaren Andeutungen von Rauschen, Schweifen und Wetterleuchten zaubern eine Dämmerlandschaft herbei, in der sich das Faßbare mit dem Unfaßbaren vermischt. Auch in diesem Gedicht, wie bei Goethe, bezieht sich alles auf die menschliche Seele, aber auf eine völlig andere Art: Goethe zieht die Landschaft in sich hinein und vermenschlicht sie; Eichendorff spannt seine Seele aus und läßt sie zur Landschaft werden. Licht und Schatten verschwimmen im Dämmer des Unbewußten.

Und nun das dritte Gedicht. Es stammt von Conrad Ferdinand Meyer.

Auf dem Canal grande betten
Tief sich ein die Abendschatten,
Hundert dunkle Gondeln gleiten
Als ein flüsterndes Geheimnis.

Aber zwischen zwei Palästen
Glüht herein die Abendsonne,
Flammend wirft sie einen grellen
Breiten Streifen auf die Gondeln.

In dem purpurroten Lichte
Laute Stimmen, hell Gelächter,
Überredende Gebärden
Und das frevle Spiel der Augen.

Eine kurze, kleine Strecke
Treibt das Leben leidenschaftlich
Und erlischt im Schatten drüben
Als ein unverständlich Murmeln.

Conrad Ferdinand Meyer stellt sein Abendgedicht in einen bestimmten Rahmen: Venedig, Canal Grande. Etwas Erzählerisches, Balladenhaftes schwingt in ihm mit. Aber es ist keine Ballade: was hier geschieht, kann irgendwo und irgendwann geschehen: Aufleuchten des Lebens zwischen Dunkelheit und Dunkelheit, Glanz und Bewegung gegen das Nichts, laute Stimmen und Gelächter gegen unverständliches Murmeln. Zwischen den Abendschatten der ersten und den «Schatten drüben» der letzten Strophe steht das Leben: ein rasches Aufleuchten, eine kurze Episode. Die Harmonie dieses Gedichts ist eine tragische, weil vergängliche; kein Reim ruft die Vergangenheit zurück; was vorüber ist, ist unwiederbringlich. Nur für kurze Zeit weichen die Schatten dem Licht, und das Gedicht selber ist nur ein Augenblick der Verfestigung im Strom der Zerstörung.

Der Albatros

Souvent, pour s'amuser, les hommes d'équipage
Prennent des albatros, vastes oiseaux des mers,
Qui suivent, indolents compagnons de voyage,
Le navire glissant sur les gouffres amers.

A peine les ont-ils déposés sur les planches,
Que ces rois de l'azur, maladroits et honteux,
Laissent piteusement leurs grandes ailes blanches
Comme des avirons traîner à côté d'eux.

Ce voyageur ailé, comme il est gauche et veule!
Lui, naguère si beau, qu'il est comique et laid!
L'un agace son bec avec un brûle-gueule,
L'autre mime, en boitant, l'infirme qui volait!

Le Poëte est semblable au prince des nuées
Qui hante la tempête et se rit de l' archer;
Exilé sur le sol au milieu des huées,
Ses ailes de géant l' empêchent de marcher.

Das Gedicht *L' Albatros* zählt zu den berühmtesten Stücken
der neueren französischen Lyrik. Sein Verfasser, Charles Baudelaire, ist vor hundert Jahren gestorben; die moderne Poesie Europas und der Welt verehrt ihn auch heute noch als
ihren großen Lehrmeister. Das Albatros-Gedicht steht am
Beginn der *Fleurs du Mal*, der *Blumen des Bösen*, Baudelaires
symphonisch komponierter Gedichtsammlung. Zusammen mit
einem andern Gedicht eröffnet es die Abteilung *Spleen et Idéal*.
Spleen heißt hier Überdruß, Trübsinn und Abscheu vor dem
Leben. Diesem Überdruß ist das Ideal kontrapunktisch, als
Gegenstimme gegenübergestellt. Das Gedicht *L' Albatros*
nimmt das Gegensatzpaar *Spleen* und *Idéal* in verwandelter
Form auf. An Stelle der abstrakten Begriffe gibt das Gedicht
ein Bild: das Bild des großen Vogels, der von den Matrosen
ergriffen wurde und sich am Boden wegen seiner gewaltigen

Flügel nicht fortbewegen kann. Der weiße Vogel ist das Ideal; das Deck des Schiffes mit den Matrosen, die ihn verspotten, die Wirklichkeit. Hier ist das Ideal mit seinen geknickten Flügeln nur noch ein Anlaß zu schlechten Scherzen. Aber der Albatros trägt die Ursache seines Scheiterns in sich selber: seine Flügel sind es, die ihn auf den Boden bannen, also gerade das, was ihn sonst über die Welt emporhebt. Ideal und Wirklichkeit sind auf eine unheilvolle Art miteinander verhängt.

Der Aufbau des Gedichts ist von architektonischer Strenge: vier Strophen zu je vier Versen. Die ersten zwei Verse geben die Situation: Oft fangen die Schiffsmannschaften die Albatrosse. Dann erfolgt eine Rückblende: wir sehen, wie die Vögel dem dahinfahrenden Schiff folgen; hier erscheint der Albatros als das, was er eigentlich ist: der König der Lüfte. Die zweite Strophe stellt das Gegenbild hin: wir sehen die hilflosen und gar nicht mehr königlichen Vögel auf dem Deck des Schiffes. Der Gegensatz – Bild und Gegenbild – zwischen der ersten und der zweiten Strophe wird nun in sehr konzentrierter Form in der dritten Strophe wieder aufgenommen: dem *voyageur ailé*, dem geflügelten Reisenden, steht der linkische und schwächliche Vogel gegenüber, dem einst so schönen Tier die Wirklichkeit von jetzt: komisch und häßlich.

Im dritten und vierten Vers dieser dritten Strophe wenden wir uns dann fast unvermittelt heftig den Matrosen zu, die den Albatros verhöhnen und mit einer Tabakspfeife necken. *Comique et laid* lautete der Schluß des vorhergehenden Verses. Plötzlich fragen wir uns: wer ist hier eigentlich häßlich? Das Stichwort «häßlich» steht über dem ganzen Ereignis.

In der vierten, der letzten Strophe erfolgt mit einer großen rhetorischen Bewegung die Deutung dieses ganzen Geschehens. Der Vers *Le Poëte est semblable au prince des nuées* – Der Dichter gleicht dem Fürst der Wolken – faßt das Gedicht zusammen und stellt es in den geistigen Zusammenhang, in dem es der Dichter sehen und zeigen will. Dieser Satz, könnte man etwas überspitzt sagen, verdichtet das Gedicht. Oder, musikalisch: er stellt das Leitmotiv dar, das unausgesprochen stets da war, aber erst jetzt in seiner ganzen Klarheit hervortritt. Wenn gesagt wurde, das Gedicht *L'Albatros* nehme in verwandelter Form das Gegensatzpaar *Spleen* und *Idéal* auf, so sehen wir jetzt, daß hier das Ideal einen bestimmten Namen hat, nämlich den Namen des Dichters. Der Gegensatz *Spleen* und *Idéal* ist reduziert auf den Gegensatz Dichter und Wirklichkeit, und dieser Gegensatz erscheint selber nur im Bild des Albatros und des Schiffdecks mit den Matrosen faßbar. Wie sehr sich Gedanke und Bild decken, wird in den zwei letzten Versen des Gedichts ganz klar – wenn Baudelaire sagt: Verbannt auf den Boden mitten in das Hohngeschrei, hindern ihn seine riesigen Flügel am Gehen. Dieser Satz bezieht sich auf den Albatros, er bezieht sich aber auch wortwörtlich auf den Dichter, wie ihn Baudelaire versteht: als Herrscher im Reich des Geistes, als Gescheiterten in der Wirklichkeit seiner Mitwelt.

Sehr schön, mit lapidarer Kraft, hat die deutsche Fassung von Stefan George diesen Gegensatz, diese Zweistimmigkeit des Originals herausgearbeitet:

Oft kommt es dass das schiffsvolk zum vergnügen
Die albatros, die grossen vögel, fängt
Die sorglos folgen wenn auf seinen zügen
Das schiff sich durch die schlimmen klippen zwängt.

Kaum sind sie unten auf des deckes gängen
Als sie, die herrn im azur, ungeschickt
Die großen weissen flügel traurig hängen
Und an der seite schleifen wie geknickt.

Er sonst so flink ist nun der matte steife.
Der lüfte könig duldet spott und schmach:
Der eine neckt ihn mit der tabakspfeife,
Ein andrer ahmt den flug des armen nach.

Der dichter ist wie jener fürst der wolke,
Er haust im sturm, er lacht dem bogenstrang.
Doch hindern drunten zwischen frechem volke
Die riesenhaften flügel ihn am gang.

41

Der Epigone

Am 17. Oktober 1965 ist unbemerkt und ungefeiert der hundertfünfzigste Geburtstag eines Lyrikers vorübergegangen, in dem man zu seiner Zeit den legitimen Erben und Fortsetzer der großen deutschen Dichtungstradition erblickte, und dem man in Anthologien und Lesebüchern den gleichen Rang wie Goethe zuzubilligen bereit war, obwohl er selber recht gut wußte – und es auch nicht verschwieg –, daß ihm nicht mehr als die Stellung eines geschmackvollen Epigonen zukam. Emanuel Geibel – von ihm ist die Rede – stammte wie Thomas Mann aus Lübeck, wurde aber berühmt als Haupt des sogenannten Münchner Dichterkreises, einer von Bayerns König geförderten Gruppe (es war tatsächlich eine Gruppe von – wie der Literaturhistoriker Oskar Walzel sagt – «einheitlicher Zielbewußtheit», die Erfindung stammt also nicht aus dem Jahre 1947). Die Bemühungen Geibels und seiner Kollegen lassen sich in eine europäische Tendenz des 19. Jahrhunderts einordnen: wie in Frankreich die *Parnassiens*, so setzten in Deutschland die Münchner der Zeit ein geschliffenes und geglättetes, gebildetes und umgängliches Dichtungsideal entgegen. Es ist eine Poesie, die niemandem wehtut, ein bißchen sentimental sein kann und, wenn nötig, auch ein bißchen martialisch, aber dabei immer schön in den Konventionen bleibt, wohlklingend und gepflegt und manchmal schrecklich banal. Geibel starb im Jahre 1884 – in Frankreich begann gerade die Entdeckung Rimbauds, Zola und Maupassant schrieben, in Deutschland erschien Nietzsches *Zarathustra:* im Schatten der wirklichen Größen schrumpfte die Gestalt Geibels bald auf das ihr eigene Maß zusammen, das nun eben kein sehr eindrückliches ist.

Nichts ist heute leichter, als über einen Mann wie Geibel zu Gericht zu sitzen. Man geht seine Gedichtbücher, die einst hohe Auflagen erlebten und nun reihenweise in den Antiquariaten stehen, durch und stellt fest: hier klingt's nach Goethe, ohne Goethe zu sein, und da nach Eichendorff, hier hat er Mörike kopiert und da sich gar an Hölderlin versucht. Und es ist peinlich zu sehen, wie billig das alles zu haben ist, wie leicht es von der Hand geht. Geibel hat dies, wie gesagt, selber gewußt oder doch geahnt, und er hat gelegentlich darunter gelitten, freilich ohne daraus Konsequenzen zu ziehen. Aber ist er sich darüber im klaren gewesen, daß er mit diesem Ausverkauf klassischer Dichtung das Erbe nicht bewahrte und schon gar nicht mehrte oder fortsetzte, sondern es im Gegenteil verschleuderte? Wenn wir bei ihm zum Beispiel lesen «Durch die wolkige Maiennacht / Geht ein leises Schallen» und sich dann die unvermeidliche Erinnerung an Lenaus «Postillion» einstellt («Lieblich war die Maiennacht, / Silberwölklein flogen»), so fällt von solcher Reproduktion nolens volens ein Schatten auf das im Grunde einmalige Original: das Reproduzierte selber scheint, wenn auch zu Unrecht, zur hohlen Form geworden. Immer ist es so, daß die Inflation bestimmter künstlerischer Formen diese über kurz oder lang entwertet; wir erleben das heute mit den Formen des Expressionismus und des Surrealismus – vor allem des letzteren –, und Geibel hat es zu seiner Zeit mit den Formen der Klassik und Romantik so getrieben. Übrigens gibt es auch in der Gegenwart noch manchen biedern Verseschmied, der diese Geibelsche Inflation unbekümmert um alles, was seither geschehen ist, fortsetzt. Nun kann allerdings in der Kunst auch die Wiederholung ein schöpferisches Element sein, aber doch nur soweit, als sie als bewußte stilbildende Kraft wirkt. Bei Dichtern wie Geibel stammen aber die Bilder und Vergleiche, die Stilfiguren und Gedankenverbindungen gar nicht von ihnen, sondern aus dem Bildungsschatz der Poesie, den sie zu besitzen glauben. In Wirklichkeit ist er es, der sie besitzt. Und hier wird der Leser zu Recht mißtrauisch. Er ist nicht mehr bereit, dem Dichter alles abzunehmen, was dieser sagt, denn: wer in der Sprache nur mit vorgeprägten Formeln arbeitet, dem traut man auch eigene Gedanken nicht mehr ohne weiteres zu. Und so fragt er sich schließlich gar, ob nicht auch die «positive Lebensphilosophie», die den Schluß der meisten Gedichte Geibels trägt, vielleicht nur schöner Schwindel sei.

Das Eingangsgedicht zu den *Spätherbstblättern* lautet folgendermaßen:

Und wieder treibt es in den Tannen
Und wieder lockt's vom blauen Zelt,
Ein Flügeldehnen, Segelspannen
Geht ungeduldig durch die Welt.

Die muntre Schwalbe zwitschert helle
Ihr Wanderlied im Sonnenstrahl,
Der Eisblock spielt dahin als Welle,
Die Schneekluft wird zum Blütental.

Aufs neue strebt mit kühnem Steuer
Nach fernem Glück die Sehnsucht fort;
Verschwiegne Liebe brennt wie Feuer
Und stammelt sacht ihr erstes Wort.

O Hoffnung, Muse dieser Tage,
Berührst du sanft mein Saitenspiel,
Daß ich den Klang noch einmal wage,
Der meinem Volk einst wohlgefiel?

Auch hier klingt vieles wie schwächlicher Widerhall eines oft Gehörten. Das Flügeldehnen der Seele, bei Eichendorff steht es unendlich viel schöner und wahrer, und daß Liebe wie Feuer brennt, hat man hundert- und tausendmal gehört. Aber etwas Eigenes scheint sich zumindest in der ersten Strophe doch zu regen, das uns fast sympathisch berühren will. Nur am Schluß fällt Geibel mit eloquentem Schwung wieder in die gräßlichste Banalität: da wird die Muse zitiert und das Saitenspiel des Poeten beschworen, und zum Schluß gar die Pose des geistigen Führers eingenommen, der sein Publikum anspricht als «Mein Volk».

Nun hat sich Geibel gerade diese Pose, die peinlichste von allen, nicht versagen können. Das Ergebnis sind seine politischen Gedichte, die er unter dem Titel *Heroldsrufe* gesammelt

44

hat. Sie zeichnen den Weg zur preußisch-deutschen Einigung im Jahre 1870/71 nach und schildern pathosschwanger die Freude des Dichters über das große Ereignis:

> *Drum wirf hinweg den Witwenschleier,*
> *Drum schmücke dich zur Hochzeitsfeier,*
> *O Deutschland, mit dem grünen Kranz!*
> *Flicht Myrten in die Lorbeerreiser!*
> *Dein Bräut'gam naht, dein Held und Kaiser,*
> *Und führt dich heim im Siegesglanz.*

Das ist genau der Mythos der vollbusigen Germania, wie sie in Holz, Gips oder Gußeisen auf dem Büffet des deutschen Spießbürgers der Gründerjahre thronte, Ziel verdrängter Sehnsüchte, Kulisse vor den geheimen Ängsten, Inbild der Unehrlichkeit und des schlechten Geschmacks.

In der Tat, nichts ist heute leichter, als über einen Mann wie Geibel zu Gericht zu sitzen. Daß es so leicht ist, ist freilich nicht nur seine Schuld, auch die Zeit trägt das ihrige dazu bei. Zwar wird man Geibel auch in Zukunft nie mehr als großen und originalen Lyriker betrachten können. Aber es ist durchaus möglich, daß man später einmal wieder Sinn für seine Qualitäten haben wird, die er trotz allem besaß, und die ganz zu unterschlagen wir heute geneigt sind: für seine Fähigkeit des Nachempfindens, des Variierens von Themen, die andere angeschlagen haben, für seinen virtuosen – allerdings oft auch unehrlichen – Umgang mit der Sprache, mit Metrum und Reim, für sein Übersetzungswerk, denn ein bedeutender Übersetzer war er ohne Zweifel. Daß ein Dichter wie Josef Weinheber ihn sehr geschätzt hat, ist bezeichnend. Im Augenblick indessen stehen fast alle Zeichen der Zeit gegen ihn. Und doch: sollten nicht auch wir Leser gegenüber der Zeit unabhängig genug sein, anzuerkennen wo es anzuerkennen gibt, sei es auch Unaktuelles? Das folgende Gedicht Geibels stammt aus seinen *Juniusliedern*, Katharina Kippenberg hat es seinerzeit in ihre Sammlung *Deutsche Gedichte* aufgenommen, nicht zu Unrecht, wie mir scheint, denn wenn es auch kein ganz großes Gedicht ist, so erscheinen in ihm doch die Vorzüge Geibels, die in den meisten seiner Werke getrübt und undeutlich sind, in ungewöhnlicher, ja fast ergreifender Klarheit:

> Nun die Schatten dunkeln,
> Stern an Stern erwacht:
> Welch ein Hauch der Sehnsucht
> Flutet in der Nacht!

> Durch das Meer der Träume
> Steuert ohne Ruh,
> Steuert meine Seele
> Deiner Seele zu.

> Die sich dir ergeben,
> Nimm sie ganz dahin!
> Ach, du weißt, daß nimmer
> Ich mein eigen bin.

Meisterwerk der Arbeit

In seinem am 21. August 1951 in der Universität Marburg gehaltenen Vortrag *Probleme der Lyrik* schildert Gottfried Benn ironisch, auf welche Weise sich die Öffentlichkeit vielfach die Entstehung eines Gedichts vorstellt: eine Heidelandschaft oder ein Sonnenuntergang sowie ein junger Mann oder ein Fräulein in melancholischer Stimmung, und nun entsteht ein Gedicht. Benn fährt fort: «Nein, so entsteht kein Gedicht. Ein Gedicht entsteht überhaupt sehr selten – ein Gedicht wird gemacht.»

Mit dieser pointierten Feststellung befindet sich Benn in bester Gesellschaft. Vom Altertum – das Poesie als Lehrfach systematisch pflegte – bis in die Gegenwart wird gerade von den Dichtern selber die handwerkliche Seite ihrer Arbeit stets betont. Hugo von Hofmannsthal sagt in einer Aufzeichnung aus dem Nachlaß, am Tempel der Kunst trage die Außenseite des Portals die mystischen Zeichen der Schöpfung und Begeisterung, die Innenseite aber Winkelmaß, Brille, Zirkel und Lineal – und bei Paul Valéry heißt es, Gedichte seien «Meisterwerke der Arbeit und überdies Wahrzeichen hoher Einsicht und angestrengter Mühe, Kinder des Willens und der Analyse». Mit *art pour l'art* hat das alles nicht viel zu tun, auf jeden Fall soweit nichts, als mit diesem Ausdruck der Dichter als verantwortungsloser Artist bezeichnet werden soll. «Ein Gedicht wird gemacht» bedeutet keineswegs, daß derjenige, der so schreibt, gegenüber Schicksal, Gefühl und Mitmensch gleichgültig sei; es bedeutet nicht weniger und nicht mehr als die Erkenntnis, daß es beim Verfassen von Gedichten um einen Arbeitsprozeß geht, in dem die Kräfte des bewußten Geistes mindestens so wichtig sind wie das Unbewußte, die sogenannte Inspiration.

Dieser künstlerische Prozeß läßt sich – wenn auch nicht immer – nachprüfen und im besten Fall sogar nachvollziehen. Das wird vor allem dann möglich, wenn wir von einem wirklich bedeutenden Gedicht mehrere Fassungen besitzen. Ein zu

Recht berühmtes Beispiel dafür ist Conrad Ferdinand Meyers *Römischer Brunnen*. Wir kennen das Gedicht, wie es in den Werkausgaben, in Anthologien und Lesebüchern steht:

DER RÖMISCHE BRUNNEN

Auf steigt der Strahl und fallend gießt
Er voll der Marmorschale Rund,
Die, sich verschleiernd, überfließt
In einer zweiten Schale Grund;
Die zweite gibt, sie wird zu reich,
Der dritten wallend ihre Flut,
Und jede nimmt und gibt zugleich
Und strömt und ruht.

Ein herrliches Gedicht, vollkommen im Rhythmus der Sprache und vollkommen in der sinnlichen Nähe und selbstverständlichen Symbolik seines Gegenstands. Klar tritt das Bild des dreischaligen Brunnens hervor, aber bei aller Klarheit ist dieses Bild durchsichtig und gibt durch das Besondere den Blick frei auf das Allgemeine: die Zweiheit von Strömen und Ruhen, von Geben und Nehmen, die Bewegung des Wassers und die Beharrung der drei Marmorschalen deuten auf ein Urphänomen des Lebens überhaupt, auf die ewige Polarität des Dynamischen und des Statischen. Das Gedicht wirkt nicht zuletzt deshalb so stark, weil es seine sprachlichen Mittel so sparsam verwendet, mit einem Minimum an Aufwand ein Maximum an Wirkung hervorbringt. Alles scheint in der Anordnung der Worte und Verse von selbstverständlicher Einfachheit zu sein. Diese Einfachheit aber ist das Ergebnis einer mühsamen, sich über nahezu zwei Jahrzehnte erstreckenden künstlerischen Arbeit.

In der frühesten im Jahre 1870 gedruckten Fassung lautet das Gedicht so:

In einem römischen Garten
Verborgen ist ein Bronne,
Behütet von dem harten

Geleucht der Mittagssonne,
Er steigt in schlankem Strahle
In dunkle Laubesnacht
Und sinkt in eine Schale
Und übergießt sie sacht.
Die Wasser steigen nieder
In zweiter Schale Mitte,
Und voll ist diese wieder,
Sie flutet in die dritte:
Ein Nehmen und ein Geben,
Und alle bleiben reich,
Und alle Fluten leben
Und ruhen doch zugleich.

Hier ist das Gedicht viel breiter angelegt; nicht nur äußerlich in dem Sinn, daß es doppelt so lang ist wie die endgültige Fassung, sondern auch in der Art, wie sein Gegenstand umschrieben wird. In der endgültigen Fassung gibt es nur den Brunnen – die drei Marmorschalen und das Wasser –, sozusagen in den abstrakten Raum hineingestellt und damit schon ins Allgemeine und Symbolische. Die frühe Fassung berichtet – fast anekdotisch, auf jeden Fall in erzählender Manier – die näheren und weiteren Umstände: ein römischer Garten, hartes Geleucht der Mittagssonne, dunkle Laubesnacht. Das ist nicht der Brunnen schlechthin und noch weniger die Bewegung an sich, sondern ein bestimmter, lokalisierbarer Brunnen. Wir haben es viel weniger mit einem Urphänomen und weit mehr mit einem Reiseerlebnis zu tun. Das eigentliche, vom Anekdotischen losgelöste Motiv, Aufsteigen und Niedersinken, Nehmen und Geben, ist auch hier vorhanden, aber nicht zusammenhängend, nicht rund und voll gefaßt, sondern zerstreut und von Nebensächlichkeiten halb versteckt – daß es heißt, der Brunnen sei im Garten «verborgen», ist in diesem Zusammenhang vielsagend. Dazu kommt, daß die frühe Fassung durch die gleichmäßig kurzen Verse etwas Monotones, ja Abgehacktes hat. Die Bewegung des Wassers findet keine

Entsprechung in der Sprache – die Form des Gedichts ist hier bloße Hülle, vorgegebenes Schema, das der Dichter ausfüllt.

Zwischen der frühen und der definitiven Fassung ist nun die folgende mittlere Version unseres Gedichts anzusetzen.

> *Der Springquell plätschert und ergießt*
> *Sich in der Marmorschale Grund,*
> *Die, sich verschleiernd, überfließt,*
> *In einer zweiten Schale Rund;*
> *Und diese gibt, sie wird zu reich,*
> *Der dritten wallend ihre Flut,*
> *Und jede nimmt und gibt zugleich*
> *Und alles strömt und alles ruht.*

Vieles klingt hier schon wie in der endgültigen Fassung. Die erzählenden Details sind weggefallen, das Grundmotiv tritt klar hervor, die Konzentration von sechzehn auf acht Verse hat stattgefunden. Aber noch stehen die zwei genialen Einfälle der letzten Fassung aus, nämlich Anfang und Schluß des Gedichts. «Der Springquell plätschert und ergießt» heißt es, eine vage und im Verbum «plätschern» recht unglückliche Formulierung, die abgelöst werden wird von dem herrlichen «Auf steigt der Strahl und fallend gießt», wo sich in der ungewöhnlichen Wortfolge – «Auf steigt der Strahl» – und in der ebenso ungewöhnlich betonten Anfangssilbe die ganze Dynamik des Steigens ausdrückt. Der Dynamik des steigenden Gedichtanfangs steht die Statik des ruhenden Schlusses gegenüber, auch er ist erst in der letzten Fassung zu dem geworden, was er ist. «Und alles strömt und alles ruht», dieser Vers blieb im üblichen Metrum; «Und strömt und ruht»: in der kühnen Verkürzung kommt nun wirklich, auch in der Sprachmelodie, alles zur Ruhe – und so durfte auch das etwas aufdringlich wiederholte «alles» wegbleiben; der Hinweis auf die symbolische Bedeutung des Ganzen – «alles» strömt und ruht, nicht nur das Wasser des Brunnens – wird überflüssig, wo das Bild selber seinen tieferen Sinn so selbstverständlich in sich trägt.

In der letzten, der endgültigen Fassung, wie sie in den *Ge-*

sammelten Gedichten von 1882 zum erstenmal abgedruckt war, ist dann die Metamorphose vollzogen. Vor uns steht ein Gedicht, von dem in hohem Maße das Wort Valérys vom «Meisterwerk der Arbeit ... und angestrengter Mühe» gilt, und ein Gedicht, das die Spuren solcher Arbeit und Mühe makellos eingeschmolzen hat ins Meisterwerk.

Städter

Am Beginn dessen, was wir die moderne Poesie nennen, steht als Markstein ein großes französisches Gedichtbuch, die *Fleurs du Mal* von Charles Baudelaire. Es gehört mit zum Besonderen der Gedichte Baudelaires, daß sie, noch in der Frühzeit der industriellen Epoche, sich bereits die moderne Groß-Stadt künstlerisch zu eigen machen. Das gilt besonders für den Abschnitt, der sich *Pariser Bilder – Tableaux parisiens –* nennt; exemplarisch finden wir es in dem 1852 erstmals veröffentlichten Stück *Le Crépuscule du Matin*, das beginnt:

> *La diane chantait dans les cours des casernes,*
> *Et le vent du matin soufflait sur les lanternes.*
>
> *C'était l'heure ou l'essaim des rêves malfaisants*
> *Tord sur leurs oreillers les bruns adolescents ...*

und das schließt:

> *L'aurore grelottante en robe rose et verte*
> *S'avançait lentement sur la Seine déserte,*
> *Et le sombre Paris, en se frottant les yeux,*
> *Empoignait ses outils, vieillard laborieux.*

In einem breit angelegten Gemälde führt uns der französische Dichter eine Reihe menschlicher Gestalten und Schicksale vor: den Jüngling, den Schriftsteller, die Dirne, die Bettlerin, die Wöchnerin, den Sterbenden, den Sünder. Aber die eigentliche Hauptperson ist hier doch jemand anderes, nämlich die Stadt selber, jene Stadt, die am Schluß des Gedichts in fast mythischer Personifizierung als rüstiger alter Mann, als *vieillard laborieux*, sichtbar wird. Die einzelnen Menschen, von denen die Rede ist, sind nur scheinbar Handelnde; in Wirklichkeit werden sie in ihrem Tun und Lassen von etwas Überindividuellem geführt, von der Stadt, der sie gehören und die allein aktiv ist, «zum Werkzeug greift», wie Baudelaire sagt.

Vom ersten bis zum letzten Vers geht es hier um nichts anderes als um diese Stadt. In ihrem Bild löst sich das einzelne Menschenschicksal auf. Sie beherrscht die Welt. Was Natur heißt, wird neben ihr bedeutungslos, ja unwirklich. In unserem Gedicht gibt es keine Blume, keinen Baum, nur Himmel, Rauch, Nebel und Wind, und als einziges Element der organischen Schöpfung den Menschen, ihn, der die Stadt, diese zweite Natur, geschaffen hat und nun verurteilt ist, in ihr zu leben.

Die Erfahrung der modernen Stadt, bei Baudelaire genial vorweggenommen, hat im beginnenden 20. Jahrhundert auch in der Literatur immer weitere Kreise gezogen. Zu jener zweiten Natur, der Zivilisation, gehört in Deutschland in hohem Maße die Dichtung der Expressionisten, die man aus diesem Grund in polemischer Absicht Asphaltliteraten nennen konnte. Aus der berühmtesten Gedichtsammlung des Expressionismus, der 1920 erschienenen Anthologie *Menschheitsdämmerung*, stammt das folgende Stück von Alfred Wolfenstein.

STÄDTER

Nah wie Löcher eines Siebes stehn
Fenster beieinander, drängend fassen
Häuser sich so dicht an, daß die Straßen
Grau geschwollen wie Gewürgte sehn.

Ineinander dicht hineingehakt
Sitzen in den Trams die zwei Fassaden
Leute, wo die Blicke eng ausladen
Und Begierde ineinander ragt.

Unsre Wände sind so dünn wie Haut,
Daß ein jeder teilnimmt, wenn ich weine,
Flüstern dringt hinüber wie Gegröhle:

Und wie stumm in abgeschlossner Höhle
Unberührt und ungeschaut
Steht doch jeder fern und fühlt: alleine.

Was bei Baudelaire dargestellt, teils aber auch nur ange-
deutet ist, tritt bei Wolfenstein in gewollter und gewaltsamer
Steigerung auf. Aber zugleich ist eine Dimension verschwun-
den. Hier ist die Stadt nicht mehr mythisch überhöht. Kein
Morgenhimmel leuchtet mit seinen kühlen Farben mehr in
diese Straßen; alles ist nur noch Ekel, Enge, Einsamkeit. Die
Stadt ist zum geschlossenen Raum geworden, in dem der
Mensch sich selber ausgeliefert ist. Echte Realität besitzt diese
Stadt nicht mehr, sie ist nur noch der Rahmen für die *Städter*
– und so lautet ja auch der Titel des Gedichts. Wir erleben,
wie nach dem Verlust der Natur dieser Städter sich in seiner
selbstgeschaffenen Welt nun auch selber verliert. Dabei bleibt
es im Gedicht Wolfensteins auffällig, daß für dieses neue Erlebnis keine neue Form gesucht wird. Der Lyriker bedient
sich der durchaus konventionellen Form des Sonetts. Das war
um 1920. Heute ist das, wie wir wissen, ziemlich anders geworden, so auch in dem folgenden Gedicht von Marie Luise
Kaschnitz, das aus ihrem 1957 veröffentlichten Band *Neue
Gedichte* stammt.

VORSTADT

Nur noch zwei Bäume
Sind übrig vom
Hain der Egeria
Nur noch zwei Lämmer
Von der großen Herde
Ein schwarzes
Ein weißes
Niemand
Sieht mehr am Abend
Die Zinnen der Mauer
Rötlich
Vielstöckige Häuser
Kommen gelaufen
Stadther
Weiße mit blitzenden

Fenstern
Verschütten
Knaben auf
Knatternden
Zweirädern
Zahllose
Knaben
Ziehen ihre
Kreise aufrecht streng
Zügeln die schwarzen
Zypressen die
Mückenteiche
Hohlwege voll von
Blühendem Ginster.

Das Gedicht von Marie Luise Kaschnitz besteht nur noch aus einzelnen ganz kurzen Notierungen, Formeln, die ohne Verbindung durch Metrum und Reim untereinander geschrieben werden. Wir haben es nicht mehr mit der Stadt des ersten industriellen Zeitalters zu tun, sondern mit derjenigen unserer technisch rationalisierten Gegenwart. Ihr versucht die Dichterin in der äußeren Gestalt des Verses zu entsprechen, von ihr setzt sie sich aber auch bewußt ab. Bei ihr identifiziert sich der Mensch nicht mehr mit der Stadt, sondern er gewinnt Abstand zu ihr. Die alten Mythen zwar sind am Verschwinden, stellvertretend ist hier der Hain der Quellgöttin Egeria, von dem die wachsende Vorstadt nur zwei Bäume übriggelassen hat. Ohne Aufhebens zu machen, dringt die Stadt ins Land hinein mit ihren Wohnblöcken und ihrem Motorengeknatter, und kühl, ohne Pathos, zeichnet die Dichterin es auf. Aber zugleich tritt in dieser modernen Stadtlandschaft – man wird hier an Italien zu denken haben – die scheinbar verlorene ursprüngliche Natur in ein neues, ich möchte sagen aufmerksames Verhältnis zum Menschen, und es mag uns nicht nur als Beschwichtigung, sondern auch als Warnung berühren, wenn die Schilderung der Vorstadt vom Bild des blühenden Ginsters aufgefangen wird.

Der Fächer

«Der Genuß eines Gedichtes besteht in dem Glück, es nach und nach zu verstehen» schrieb Mallarmé in der zweiten Hälfte des letzten Jahrhunderts. Der Satz tönt etwas Zentrales im Umgang mit Lyrik an, die Einsicht nämlich, daß sich das Gedicht nur demjenigen ganz erschließt, der bereit ist, eine geistige Anstrengung auf sich zu nehmen. Das ist heute, nahezu hundert Jahre nach Mallarmé, noch genau so richtig wie damals. Gedichte können gleichgültige und bequeme Leser nicht brauchen; sie können die Mitarbeit dessen, an den sie sich richten, nicht entbehren. Der Treffpunkt des Gedichts mit dem Leser liegt zwischen beiden: dieser muß jenem auf halbem Weg entgegenkommen. Man kann es auch so sagen: Eine bestimmte Zusammenstellung von Worten – gesprochen oder geschrieben – ist noch nicht Poesie, auch wenn wir sie Poesie nennen; sie wird es erst durch denjenigen, der sie aufnimmt. In ihm wird die poetische Substanz aktiv, in ihm wird das Gedicht überhaupt erst zum Gedicht.

In dem Satz Mallarmés steckt indessen noch etwas mehr. Seine Aussage ist eigentlich eine doppelte. Je nachdem wie wir ihn auffassen, bedeutet er zwei verschiedene Dinge. Die Nuance liegt in der Betonung: «nach und nach *verstehen*» oder «*nach und nach* verstehen». Betrachten wir, hinter dem naheliegenden «Verstehen», die feinere Variante des «Nach und nach», so erkennen wir als Genuß eines Gedichts die Annäherung an dessen Sinn, nicht aber in erster Linie ein Finden. Das Gedicht erschließt sich dem Leser nur allmählich, dem Aufgehen einer Blume vergleichbar, nicht plötzlich und vielleicht auch nie ganz. Der Genuß eines Gedichts bestünde damit nicht in einer jähen Erleuchtung, sondern in einem dauernden Werben um seinen Sinn, er wäre ein immer wieder aufgenommener und nie ganz abgeschlossener Vorgang.

Genau diese Haltung ist es, die Mallarmés eigenes dichterisches Werk beim Leser voraussetzt, und sie ist auch der Betrachtung seines Gedichts *Autre éventail de Mademoiselle Mallarmé* angemessen. Das Stück gehört zu einer kleinen Folge von zwei Gedichten, das erste über den Fächer von Madame Mallarmé, das zweite über einen «andern Fächer», denjenigen seiner Tochter, Mademoiselle Mallarmé.

> O rêveuse, pour que je plonge
> Au pur délice sans chemin,
> Sache, par un subtil mensonge,
> Garder mon aile dans ta main.
>
> Une fraîcheur de crépuscule
> Te vient à chaque battement
> Dont le coup prisonnier recule
> L'horizon délicatement.
>
> Vertige! voici que frissonne
> L'espace comme un grand baiser
> Qui, fou de naître pour personne,
> Ne peut jaillir ni s'apaiser.
>
> Sens-tu le paradis farouche
> Ainsi qu'un rire enseveli
> Se couler du coin de ta bouche
> Au fond de l'unanime pli!
>
> Le sceptre des rivages roses
> Stagnants sur les soirs d'or, ce l'est
> Ce blanc vol fermé que tu poses
> Contre le feu d'un bracelet.

Es ist der Fächer selber, der hier spricht, und zwar zu der jungen Dame, die ihn in der Hand trägt. Gleich zu Beginn fordert er sie auf, seinen Flügel in ihrer Hand zu halten – *sache ... garder mon aile dans ta main* –; das ist möglich «durch eine zarte Lüge», denn dieser Flügel kann in Wirklichkeit nicht fliegen, er scheint allein durch die Bewegung ein Flügel zu sein. Die Bitte um Bewegung, um Öffnung, wird ihm gewährt: Die Trägerin entfaltet ihn, fächelt sich einen Augenblick lang

Kühle zu – *une fraîcheur de crépuscule ... chaque battement* – und schließt ihn dann wieder. Die Bewegung des Fächers zwischen Entfalten und Schließen ist aber auch die Bewegung des Gedichts selber: Es klingt auf, steigert sich zu einem Scheitelpunkt und versinkt wieder in Schweigen. Auf dieser Entwicklungslinie des Gedichts, die dem entspricht, was mit dem Fächer geschieht – Entfalten, Geöffnetsein, Schließen – liegen die einzelnen Stationen des geistigen Ereignisses. Wenn sich die junge Dame – *la rêveuse* – Kühle zufächelt, ist es, als weiche der Horizont bei jedem Schlag zurück: Hier ist alles Steigerung, Ausdehnung, Weite. In der dritten, der mittleren Strophe erfüllt sich die Bewegung in höchster, schöpferisch-erotischer Ergriffenheit: *voici que frisonne l'espace comme un grand baiser.* Wenn der Dichter aber sofort anschließt, dieser Kuß entstehe für niemanden, so beginnt damit schon der Abstieg. Der Fächer, der voll geöffnet ist, hat seine Möglichkeiten ausgeschöpft, er muß seiner Endlichkeit inne werden. Ein letzter Aufbruch ist dem Geist versagt, das Unmögliche bleibt unmöglich. Schon versinkt das wilde Paradies – *le paradis farouche* – wie ein Lächeln, das stirbt. Der Fächer schließt sich. Und bald ist er wieder *ce blanc vol fermé*, der geschlossene weiße Flug, oder ein Ufer im rötlichen und goldenen Spätlicht, und ein Szepter, das die Trägerin an ihr glänzendes Armband lehnt.

In der Übersetzung von Rainer Maria Rilke lautet das Gedicht:

> *O Träumerin, daß ich mich trüge*
> *Zur Wonne, die kein Weg je fand,*
> *Behalte du durch kühnste Lüge*
> *Nur meinen Flügel in der Hand.*
>
> *Von einer Dämmerung die Kühle*
> *Hat jeder Schlag dir eingeflößt,*
> *Der mit gefangenem Gefühle*
> *Die Weite sanft hinüberstößt.*
>
> *Da schwindelt einem: sieh, nun wehen*
> *Die Räume wie ein großer Kuß,*

Der, toll, für keinen zu entstehen,
Unhingenommen kommen muß.

Dir ist: ein Paradies verschlüge
Dein Lächeln jäh zur Unterwelt,
Daß es in unbeschränkte Züge
Von deinem Mund hinüberfällt.

Das Szepter rosiger Gestade,
Die spät im Gold erstarrn, das ist
Der weiße Flug, der sich gerade
Am Feuer eines Armbands schließt.

Ausgesucht, kostbar – im eigentlichen Sinne preziös – wie im Original sind auch die Bilder der Übertragung. In Worten, von denen jedes sein eigenes und fast jedes ein neues Gewicht hat, und die zugleich so zart aufeinander abgestimmt sind, wird für den Leser die kurze Bewegung des Fächers wesenhaft. Sie wird aber nicht nur wesenhaft, sondern auch durchscheinend und vielsagend. Denn wovon spricht das Gedicht? Von einem Fächer, gewiß, aber auch von einem Flug, einem Traum, einem Kuß, einem Lächeln, einer Landschaft, einem Szepter. Was sich hier ereignet, kann Blühen und Verwelken bedeuten oder Begegnung und Abschied, das Schwanken eines Gefühls und den Rhythmus eines Gedankens so gut wie die vordergründige Bewegung des Fächers, und schließlich steht das Ereignis auch als Symbol seiner selbst, des Gedichts. In diesem Spiegel schimmern Mikrokosmos und Makrokosmos zauberhaft in einem auf, die Welt in ihrer Kleinheit und in ihrer Größe, in ihrer Flüchtigkeit und in ihrer Dauer, der Geist in seiner Herrlichkeit und in seinem Elend, in seinem Anspruch und in seiner Beschränkung. Was wir aus dem Bild auch immer herauslesen, es ist nur ein Teil des Ganzen, und das Geheimnis der Schöpfung bleibt gewahrt.

Im Bild des Gartens

Das Motiv des Gartens hat in der Dichtung – nicht nur in der abendländischen, sondern auch in derjenigen des Ostens – immer eine besondere Bedeutung besessen. In den Psalmen und bei Li-T'ai-Po, bei Horaz und Ronsard, bei Goethe und Eichendorff, in mittelalterlichen Volksliedern und japanischen Haiku spiegelt sich im Bild des Gartens der Mensch, spiegeln sich Liebe, Schönheit, Vergänglichkeit. Der Garten, diese Schöpfung aus Natur und Zivilisation, kann immer wieder zum bedeutungsvollen Zeichen dessen werden, was wir selber sind zwischen Vielheit und Einheit, Öffnung und Begrenzung, Freiheit und Ordnung.

Im Wien des späten neunzehnten Jahrhunderts schrieb Hugo von Hofmannsthal das Gedicht:

MEIN GARTEN

Schön ist mein Garten mit den goldnen Bäumen,
Den Blättern, die mit Silbersäuseln zittern,
Dem Diamantentau, den Wappengittern,
Dem Klang des Gong, bei dem die Löwen träumen,
Die ehernen, und den Topasmäandern
Und der Volière, wo die Reiher blinken,
Die niemals aus dem Silberbrunnen trinken ...
So schön, ich sehn mich kaum nach jenem andern,
Dem andern Garten, wo ich früher war.
Ich weiß nicht wo ... Ich rieche nur den Tau,
Den Tau, der früh an meinen Haaren hing,
Den Duft der Erde weiß ich, feucht und lau,
Wenn ich die weichen Beeren suchen ging ...
In jenem Garten, wo ich früher war ...

Von diesem Gedicht, das nicht einmal zu den vollkommensten gehört, die wir von Hofmannsthal besitzen, geht eine eigentümliche, fast magische Wirkung aus. Was auf den ersten

Blick als Cliché anmuten könnte, die «goldnen Bäume», das «Silbersäuseln», der «Diamantentau», steht hier in einem bestimmten Plan: der Garten, von dem die Rede ist, scheint nicht Natur, sondern ein reines Kunstgebilde aus edlen Metallen und Steinen: die Bäume sind aus Gold, die Blätter aus Silber, der Tau aus Diamant, die Löwen aus Erz, das gewundene Gewässer aus Topas, wiederum aus Silber das Wasser des Brunnens, und auch die Reiher in der Volière sind unbelebt – sie trinken niemals aus dem Brunnen. In diesem Garten höchster, aristokratischer Vollendung – das «Wappengitter» und die Erzlöwen rufen die Vorstellung eines fürstlichen Renaissance- oder Barockparks hervor –, hier also lebt der Dichter, glücklich, oder doch fast glücklich, denn irgendwo ist die beunruhigende Erinnerung an einen ganz anderen Garten in ihm noch wach – an einen Garten, in dem die Erde und der Tau duften, weil sie natürlich, nicht aus Metall sind, und in dem er einst – früher – wirkliche Beeren suchte, «weiche Beeren», wie es heißt, nicht harte Edelsteine. Mit dieser vagen Erinnerung verklingt das Gedicht, das gleichsam improvisierend zwei, drei Motive angeschlagen hat, ohne sie auszuführen. Aber was gemeint ist, liegt klar vor Augen: hier kunstvollkünstliche Form, dort kreatürliches Leben, hier Dauer, dort Wandel, hier Kultur, dort Natur, hier Mannesalter, dort Kindheit. Die Spannung zwischen Zivilisation und Natur, die das Bild eines jeden Gartens prägt, hat in diesem Gedicht, übertragen in die doppelte Vorstellung der beiden verschiedenen Gärten, ihren gleichsam potenzierten Ausdruck gefunden.

Das folgende Stück stammt von Georg Heym. Es fand sich im Nachlaß des expressionistischen Lyrikers, der als Fünfundzwanzigjähriger im Jahre 1912 beim Eislaufen auf einem See bei Berlin ertrank.

DER PARK

Blinde Scheiben sind im toten Hause,
Die sich halb verbergen in den Büschen.
Trübe Wege, wo die Winde wischen.

Jeder Pfad ist voll mit langen Klagen,
Hohe Bäume stehen mit Gesause
In des Herbstes Ausgang und Verzagen.

Fremdes Wort wird in dem Sturm vernommen,
Große Wolken sind im Haus zu sehen.
Die dort wohnen, sieht man, oft beklommen,
An dem Gittertor vorübergehen.

Der Park: Was man von diesem Vorwurf an prunkvoller
Bildlichkeit – vielleicht in der Art Hofmannsthals – erwarten
mag, wird enttäuscht. Dieser Park könnte ein Vorstadtgarten
sein, beispielsweise der vernachlässigte Umschwung einer bau-
fälligen Villa. Das Haus ist tot, seine Fenster sind blind, und
über die trüben Wege des Gartens weht der Wind – die Winde
«wischen», wie Heym sagt, sie kehren etwas weg – oder vieles.
Auch in den Bäumen rauscht der Wind, wir erfahren, daß
Herbst ist, und in diesem Sturm ertönt ein fremdes Wort –
welches, wissen wir nicht, die Fremdheit erscheint hier sozusagen «an sich». Sonderbar dann die Wolken – nicht über,
sondern – im Haus, als breite sich das Unwetter nicht draußen,
sondern drinnen vor. So mag man es verstehen, daß die Be-
wohner des Hauses angstvoll – «beklommen» – am Gitter,
das den Garten umschließt, vorübergehen: aber sie bleiben
eingeschlossen, finden den Ausweg nicht. Das ist viel mehr
als ein Bild des Herbstes, als die Darstellung eines verfallenden
Hauses in einem Garten: Hier bereitet sich eine Katastrophe
vor, hier scheint das Leben abzusterben und unterzugehen,
und hier wird der Garten mit seinen trüben Wegen, seinen
Pfaden, die voll von Klagen sind, den sausenden Bäumen und
dem Gittertor, das nichts mehr vom Wappengitter Hofmannsthals, aber viel von einem Gefängnisgitter hat, zum beklem-
menden Zeichen einer vom Verfall gezeichneten Welt. Auch
wenn man nicht wüßte, daß das Gedicht wenige Jahre vor dem
Ersten Weltkrieg geschrieben wurde, es wirkte auf uns als
düster drohende Prophezeiung.

Das dritte Gedicht hat Oskar Loerke zum Verfasser. Loerke

lebte von 1884 bis 1941. Er war, solange er schrieb, nicht sehr bekannt. Heute weiß man, daß er zu den größten deutschen Lyrikern gehört. Das Gedicht *Garten* stammt aus dem 1934 veröffentlichten Band *Der Silberdistelwald*.

GARTEN

Besänftigender Winde Schritte
Sind in der Hecke auf der Wacht,
Von Laurin, Herrn der Jahresmitte
Und Herrn der Rosen, angefacht.

Es ist, sie fegen aus den Garten,
Mit sommerheiterer Geduld,
Was welther weht: so viel des Harten,
So viel der Qual, so viel der Schuld.

So viel der Unschuld nährt im engen
Das Feuer, menschenunerweckt;
Es kann davon die Hand versengen,
Was eine halbe Hand bedeckt.

Verwunschen stille Selbstgefühle,
Kokardenblume, Bärenklau.
Verschollner Gram und Ahnungskühle,
Lavendelruch, Lavendelblau.

Gedanken viel im Eingedanken,
An Balsamquellen Schar bei Schar,
So spielen Sterne, Glocken, Ranken
Nach außen, was geist-innen war.

Entblättern Rosen mit dem Tage,
So scheinen sie alther zu schnein
Zu ihres bösen Königs Klage
Aus spitzem Dolomitgestein.

«Besänftigender Winde Schritte / Sind in der Hecke auf der Wacht.» Damit ist, ganz im Gegensatz zu Heyms unheimlichem Sturm, eine Atmosphäre angedeutet, die bloß idyllisch scheinen könnte. Aber schon daß die Schritte des Windes in der Hecke auf der Wacht sind, bringt einen anderen, ungewohnten Ton hinein: kaum ist sie da, schrecken wir aus der Idylle dieses Gartens auf, und wie wir, als Leser oder Hörer, von dem erstaunlichen Vergleich besänftigender Winde mit wachsamen Schritten aufgeschreckt werden, bekommt der Garten etwas sonderbar Hintergründiges, fast Zweideutiges. Und gleich erfahren wir, was es damit für eine Bewandtnis hat: er ist ein Zaubergarten. Laurin, der tückische Zwergkönig aus der altdeutschen Sage, der im Tirol einen Rosengarten besaß, spukt in die Gegenwart hinein. Aber der Dichter geht nicht weiter in dieser Richtung, die Andeutung genügt ihm, und er kehrt zum Realen zurück: zu den Winden, den Blumen – Rosen, Kokardenblume, Bärenklau, Lavendel, den Glockenblumen und Ranken. Dieses Reale – wir könnten sagen: naturkundlich, botanisch genau Umschriebene – hängt jedoch untrennbar mit seelischen Ereignissen, mit Gefühlen und Erfahrungen zusammen. Es heißt nicht «Verschollen stille Selbstgefühle sind wie Kokardenblume und Bärenklau», so lehrhaft wird Loerke nicht, aber im Bau des Gedichts sind die beiden Dinge, unausgesprochen, gleichgesetzt: sie verweisen aufeinander, diskret, aber unüberhörbar, wie es dann zum Schluß doch ganz deutlich heißt: «So spielen Sterne, Glocken, Ranken / Nach außen, was geist-innen war.» Der Garten wird hier also, über das hinaus, was er, pflanzenhaft, für sich selber ist, zum Abbild der Seele in einer bestimmten Lage des Abgeklärtseins, aber auch des Mythos, für den die letzte Strophe den Bogen schlägt zum Beginn. Das, wovon wir bei Hofmannsthal sprachen, die Spannung zwischen Kultur und Natur, erscheint hier zurückverwandelt in eine uralte Einheit, aus der auch das Harte, die Qual und die Schuld, die den Park Georg Heyms so beklemmend machen, verbannt ist kraft eines immer noch und immer wieder möglichen Einverständnisses von Mensch und Schöpfung.

Drei Schweizer Lyriker

URS MARTIN STRUB

Wenn von Gedichten gesprochen oder geschrieben wird, fällt hierzulande meist früher oder später das Wort von der «Schweizer Lyrik». Aber was ist das: Schweizer Lyrik? Ganz sicher keine ästhetische Kategorie, keine Umschreibung künstlerischer Ziele, viel eher ist es ein Verlegenheitsausdruck, in dem mäßiger Nationalismus, mäßiger Heimatstil und ebenso mäßige poetische Aspirationen eine undeutliche Verbindung eingegangen sind. Und doch ist der Begriff einer «Schweizer Lyrik» denkbar, auf den man sich einigen könnte. Er würde bestimmt durch Gedichte von hohem und höchstem Rang, zwar von Schweizern in der Schweiz verfaßt, aber keine «schweizerische Literatursache», sondern in einen großen europäischen Zusammenhang gehörend, Gedichte aus dem Geiste der Vermittlung und eines kritischen Humanismus und – auch in einer Zeit rasch wechselnder Moden – mit einem klassischen Grundton. In der Tat besitzen wir eine solche Schweizer Lyrik – genauer wäre zu sagen: es gibt sie – ob wir sie besitzen, ist eine andere Frage. Ich nenne einige Namen der älteren Generation: Albin Zollinger, Werner Zemp, Siegfried Lang, Max Rychner. Und hier ist auch der 1910 geborene Arzt und Lyriker Urs Martin Strub zu nennen.

Urs Martin Strub hat zwischen 1930 und 1964 sechs Gedichtbände veröffentlicht. Aus der Sammlung *Lyrik*, 1946 erschienen, stammt das folgende Stück:

DAS LICHT

Verherrlicht singen alle Bäume,
Ich weiß vor Licht mir keinen Rat.
Der See wirft seine Feuersäume
Gelassen in die Ufersaat.
Von seinem Glanze angezündet

Entbrennen Fels und Hügelfalt.
Was oben glüht und unten gründet
Ist groß in diesem Tag verkündet:
Das Licht übt seine Urgewalt.

Die Sonne erhebt sich über dem See: es ist ein elementares Ereignis, das sich hier vollzieht – ein Wort wie «Urgewalt» zeigt das deutlich an –, gleichsam unabhängig von Zeit und Geschichte stellt sich Natur in ihrer reinen Form dar. Der Dichter sucht dafür auch keine «neuen» Worte, in der Ausdruckswelt des klassischen deutschen Gedichts findet die Variation über das uralte Thema ihre selbstverständliche Gestalt als schöpferische Wiederholung.

Das Kosmische, die Bewegung des Weltalls, eines unwandelbaren Rhythmus über irdischem Wandel, gibt den Gedichten Urs Martin Strubs die große Bewegung, die sich klar absetzt von dem Kurzatmigen der meisten modernen deutschen Gedichte, die wir aber zum Beispiel bei dem Franzosen Saint-John Perse wiederfinden. Kosmische Harmonie, Spiegel der Ewigkeit. Aber der Glaube an diese Ewigkeit schließt die Erkenntnis des Zwiespältigen, Zweideutigen, ja Verzweiflungsvollen nicht aus, darf sie nicht ausschließen. In seinem 1953 veröffentlichten Band *Lyrische Texte* schreibt Urs Martin Strub vom Tierkreiszeichen der Zwillinge, der Gemini:

Furcht und Hochmut, Gram und Taumel, Zorn und
*   jauchzendes Entzücken,*
Diesem zwiegespaltnen Leben schlagen nirgend
*   sich die Brücken.*

Sinn und Widersinn der Schöpfung teilt die aller-
*   letzten Kerne,*
Und es trennt ein Riß die Seele klaffend bis zum
*   Sitz der Sterne.*

O gigantische Befehdung! Welt, vom Widerspruch
*   gepeinigt,*
Deine beiden Pole starren unversöhnt und unvereinigt.

Dauer und Zeitlichkeit, Glaube und Skepsis, Harmonie und Dissonanz: Gegensätze des menschlichen Erfahrens und Denkens, die sich in unserer Zeit dramatisch zuspitzen. Bei Urs Martin Strub steht dem Zeichen der Zwillinge die Waage gegenüber, wo es heißt: «Strahlend ist alles gedacht, im Gleichgewicht hangen die Täler.» Aber in dem folgenden Band *Die Wandelsterne* hat der Dichter die Zerspaltenheit der heutigen Welt ausgetragen bis in die Sprache. Aus dem Abschnitt, der dem Planeten Mars gewidmet ist, folgt hier das Schlußstück. Es steht unter dem Motto: Disjecta membra, zertrümmerte Glieder. Der Planet des Krieges spricht:

> *Täuscht euch nicht*
> *über meine vorläufige Seite!*
> *Bin am Ende noch nicht,*
> *einen Kitzel hab ich euch aufgespart,*
> *meinen Scherz im Uranpech.*
>
> *Vorgestoßen zur Höhe*
> *scientifischer Sphären*
> *– die geballte Ladung am Himmel –*
> *zaudere, zögere ich noch.*
> *Jetzt mit dem Blitz*
>
> *rasend hinab*
> *spalt ich die Kugel,*
> *reiß ich den Globus*
> *mitten*
> *entzwei.*
>
> *Zwiegetan*
> *dampfend geschwänzt*
> *zischen ins All*
> *die Kometen des Mars!*

Zertrümmerte Glieder, Zertrümmerung des Atoms, Zertrümmerung der Sprache. Ich erinnere mich, daß mir ein Bekannter nach dem Erscheinen der *Wandelsterne* sagte, da sehe man, selbst ein Strub bringe es jetzt nicht mehr fertig, «harmonisch» zu schreiben, es gehe eben einfach nicht mehr. Geht es tatsächlich nicht mehr? Gewiß ist der ausschwingende Rhythmus, ist der im Echo des Reims sich fortpflanzende Wohlklang nicht geeignet, dem Widerspruch, der notwendigerweise oft bitteren Kritik an unserer Welt Ausdruck zu geben, können sie zur innern und äußern Unwahrheit werden. Im Gegensatz zum lyrischen Gedicht, zum Lied, tritt hier das Zeitgedicht, das Prosagedicht, oder wie immer man es nennen mag, in sein Recht. Urs Martin Strub bezeichnet seine *Wandelsterne* selber nicht als Lyrik, sondern als Prosagedichte. Aber den Beweis, daß das lyrische Gedicht in der modernen Welt trotz allem doch möglich ist, ist er nicht schuldig geblieben. Schon der Titel seines letzten, 1964 erschienenen Bandes spricht es aus: *Signaturen Klangfiguren*. Über allen Theorien, Theorien der Dichtung und Theorien des Weltuntergangs, steht die unendliche Möglichkeit, einen Blick zu tun in die göttliche Mitte der Schöpfung. Hier ist die Chance, die schwierige und heikle Chance des modernen Dichters, nicht nur anzuklagen und zu benennen, sondern zu loben und zu singen. In Urs Martin Strubs neuen Gedichten wird die Klangfigur zur Figur des Glaubens, der Liebe und der Hoffnung:

SPIRALE IM RAUM

EADEM RESURGO MUTATA

Daß der Radius sich verlänge
sich verkürze überdem
und der Kreis sich höher schlänge
will das ewige System
drin wir unser Gleichnis finden
wo es sich lebendig dreht
und verjüngend in Gewinden
bis zur Spitze aufersteht
deren Umgang neu gelinge
was der tiefe Lauf begann

und die schwerelose Schlinge
in dem letzten aller Ringe
eingeschlungen enden kann.

SIEGFRIED LANG

Beim Blättern in Büchern, die nicht gerade aus dem laufenden Jahr stammen, mag einem oft der Gedanke kommen, es sei mit dem menschlichen Erinnerungsvermögen eigentlich sehr wenig weit her. «Wie schnell man vergißt!», dieser tägliche Stoßseufzer hat auch in der Literatur seine traurige Berechtigung. Immerhin: in vielen Fällen ist dieses Vergessen ganz natürlich, oft ist es folgerichtig und wohl auch verdient, und dann und wann möchten wir sogar von einem barmherzigen Vergessen sprechen. Aber es gibt auch das fahrlässige und das hochmütige Vergessen, es gibt die Gedankenlosigkeit und die Gleichgültigkeit. Hier ist es dann häufig so, daß der wirkliche Verlierer derjenige ist, der vergißt, nicht der Vergessene.

Es widerstrebt mir, nun gleich mit dem großen und wohl auch über Gebühr strapazierten Wort vom geistigen Erbe aufzurücken; aber wenn ich den 1944 erschienenen Band gesammelter Gedichte *Vom andern Ufer* von Siegfried Lang, dem Basler Lyriker und Übersetzer, und den ein paar Jahre später herausgekommenen Druck *Gedichte und Übertragung* vor mir habe, will sich kein anderes Wort einstellen. Bücher wie diejenigen von Siegfried Lang *sind* geistiges, sind literarisches Erbe, nicht nur der deutschsprachigen Schweiz, sondern der deutschsprachigen Welt. Man möchte es auf jeden Fall meinen, aber wenn man Umschau hält, zum Beispiel in der dicken Anthologie des *Schweizer Schrifttums der Gegenwart*, die aus Anlaß der «Expo» gemacht wurde, sucht man Siegfried Lang vergebens. «Wie schnell man vergißt!» Vor 25 Jahren wurde ihm in Zürich der Preis der Landesausstellung zugesprochen, die Stadt Basel und die Schillerstiftung zeichneten ihn aus. Man vergißt – und verliert dabei so reine, in ihrer Art vollkommene Gedichte wie dieses:

Saum des Waldes, oben lichtbewohnt,
Aus dem Blau-Gewirr ins Reine mündend,
Dunkler Wegrand, vom Gebüsch beschont,
Zwischen Stämmen gelbe Blumen zündend.

Stille – aber eines Grauens Weile,
Drin geschreckt des Rehes Pulse stocken –
Aus dem Tannicht mit gemessner Eile
Raben breit durch Nebel niederflocken.

Strahl du, von den dennoch sacht geregten
Schaumumhellten Wipfeln zückst du her,
Triffst noch einmal, doch die nachtumhegten
Gründe schaudern leer.

Das Gedicht heißt *Verwandlung*. Wir fragen: Worauf
bezieht sich diese Überschrift? Eine Landschaft rückt in unseren Gesichtskreis: Waldrand, Nacht, ein Weg zwischen
Stämmen, Nebel, unten Dunkelheit, oben die Tannenwipfel
im diffusen Licht. Das ist ein Bild. Aber kein in sich ruhendes.
Es geschieht etwas: Verwandlung. Etwas durchquert das Bild.
Die Landschaft mit den «ins Reine» mündenden Bäumen wird
aufgeschreckt. Das Stichwort heißt «eines Grauens Weile». Der
Dichter nennt das Reh, dessen Pulse stocken, aber das Tier steht
nicht für sich allein, sondern für etwas Umfassendes, es ist, im
Sinne der antiken Redefigur, Teil für das Ganze, *pars pro toto*.
Der veränderten Seelenlage entspricht ein neuer Aspekt der
Landschaft: dem Licht, der Reinheit, den zündend gelben
Blumen der ersten Strophe tritt der Nebel gegenüber: «Raben
breit durch Nebel niederflocken». Auch die Baumwipfel, das
erfahren wir nun, ragen in den Nebel empor; umhellt sind sie
vom zerstreuten Glanz der Gestirne hinter dem Nebel. Der
Dichter sagt «schaumumhellt»: das ist ein auch im Klang voll-
kommener Ausdruck der vagen, zugleich hellen und dunklen
Atmosphäre. Noch einmal scheint dann das Licht durchzu-
brechen, ein «Strahl zückt», man mag an den Mond denken,
doch er bleibt wirkungslos, die Gründe schaudern leer.

Es ist ein einziger Augenblick des Bewußtseins, der hier am Rand der nächtlichen Waldlandschaft aufleuchtet, das flüchtige Hinüberwechseln von Gewißheit in Schauder. Aber wie reich, wie differenziert erscheint dieser Augenblick im Gedicht! Er birgt in seiner Verhaltenheit mehr Welt als manche große Gebärde. In der Tat: die Lyrik Siegfried Langs ist nicht spektakulär, sie klingt nicht mit großen Akkorden. In kunstvoll aufeinander abgestimmten Zwischentönen erspürt sie das Mannigfache. Ihre Wort- und Satzfolgen sind ein weise verknüpftes Geflecht, vielfältig, aber nie verworren und verwirrend, sondern mit hohem Kunstverstand geordnet. *Zerstreuter Einklang* lautet der Titel eines späten Gedichts:

Noch geht verschränkt das Spiel:
Die Woge flimmert grün und licht
Und ihrer viel
Der braunen Blätter
Kraus und schlicht
Nimmt sich der Wind zum Ziel.

Im Brunnen
Unter Strömens Wucht
Und Wellen-Anmut
Treibt
Verlornes Laub,
Versinkt, schwebt herwärts
Schier entleibt
Und taucht zu Grund,
Und schwebt
Und bleibt.

Der Herbst-Verzückung Abendschrei
Verfällt dem dunklen Glockenton ...
Dann hat das Grauen Macht:

An Ruhbank, Stamm und Zaun vorbei
Huscht es wie einst ein Kinderschreck
Bis Lampen aufgewacht.

Ein Herbstgedicht, das nicht bloß eine Illustration der Jahreszeit ist. Zu Beginn steht ein vielsagendes Wort: «Noch geht verschränkt das Spiel», vielsagend bei einem Lyriker, der auch ein bedeutender Übersetzer ist, der mit Klang und Reim souverän umzugehen weiß, die Sprache kaleidoskopisch zu immer neuen Figuren variiert. Ein Spiel wie das Spiel des Herbstes mit den Blättern. Ist es ein zweckloses Spiel? Doch höchstens in dem Sinne zwecklos, wie wir es von der Konfiguration der Gestirne sagen können. Die Alten sprachen von der Harmonie des Alls, der *Harmonia Mundi*. Auch das poetische Spiel eines Siegfried Lang ist eine *Harmonia Mundi*.

Selbst die Dissonanzen, die auftönen, Schaudern, leere Gründe, stockende Pulse, des Grauens Macht, der Kinderschreck münden in Wohlklang ein. Aber täuschen wir uns nicht: Bei Dichtern vom Range eines Siegfried Lang ist Harmonie nicht ein Vorwand, den Schwierigkeiten des Lebens und Schreibens aus dem Wege zu gehen, sondern die ihnen gegebene Form, dem Chaos zu begegnen. Es gibt in der Poesie, man kann es nur immer wiederholen, ein glaubwürdiges und ein unglaubwürdiges Ebenmaß. Der zerstreute Einklang Siegfried Langs ist glaubwürdig. Ob ein solcher Einklang heute noch möglich, ob er aktuell, ob er zeitgemäß sei? Ich glaube, die Frage ist hier müßig. Das Werk ist da, über den Literaturtheorien, und hebt die Frage in bezug auf sich selber auf.

«Wirklich, ich lebe in finsteren Zeiten!» heißt es bei Bertolt Brecht. Wer wollte bestreiten, daß wir in finsteren Zeiten leben? Aber die Finsternis schließt das Licht nicht aus, sie schließt es nur ein und macht es sichtbar. Bei Siegfried Lang stehen die Bäume in der Finsternis, aber ihre Wipfel sind lichtbewohnt. Und in dem Gedicht «Ankunft» spricht er vom «üppigsten Gewühl» und den «wirren und graden» Sträuchern, von der Natur also, die auch Menschennatur ist, durch die ihn aber ein Ziel leitet:

Mich leitet, wie von Anbeginn,
Durch Sträuche wirr und grad
Ein heitres Ziel, des Ziel ich bin.

ALBERT STREICH

Im Jahre 1929 schrieb Rudolf Borchardt im Nachwort zu seiner deutschen Dante-Übersetzung, die neuhochdeutsche Dichtersprache sei «ein Geschöpf des Flachlandes und der sinnefremden Schreibstube». Der zeitgenössische Schriftsteller und Übersetzer, indem er sich dieser Sprache bediene, befinde sich in einem «geschichtlichen Gefängnis». Ihm freilich, sagt dann Borchardt von sich selber, sei in das Gefängnis des Neuhochdeutschen «von der unerwartetsten Seite ein Lichtstrahl gefallen». Im Baselbiet nämlich habe er die alemannische Mundart kennengelernt. Wörtlich fährt er fort: «Mit der einheimischen Art und Zunge lebend, hatte ich meiner gesamten Sprachgewöhnung ein Wildbad zugemutet, aus dem sie mit einem verzauberten Ohre heraustieg, wie die Menschen der Sage, die plötzlich die Sprache der Vögel verstehen.»

Ein solches Lob der Mundart von hohem Ort muß all denen wohlgefällig in die Ohren klingen, die sich als Anhänger der sogenannten Folklore verstehen und darin vielleicht gar eine Alternative zur modernen Welt der Technik sehen. Vor allem im Wort von der «einheimischen Art und Zunge» liegt ja ein ganzes kulturpolitisches Programm beschlossen, wie es ihm hier und anderswo an Freunden nicht fehlt. Daß dem so ist, wird man gewiß nicht bedauern, denn die hergebrachten, vor allem ländlichen Formen des Lebens und der Sprache verdienen Aufmerksamkeit und Liebe. Indessen mischt sich in die Freude auch einiges Mißtrauen, haben wir doch erlebt, wie die schöne Devise von der einheimischen Art und Zunge unversehens zum Schlagwort von Blut und Boden und damit zum Zeichen eines in buchstäblichem Sinne blutigen Chauvinismus wurde. Auch hierzulande ist es um die Folklore nicht immer nur gut bestellt. Im *Röseligarte* und auf der *Schwyzer Schnabel-*

73

weid wachsen gerade in unserer Zeit oft Pflanzen mit merkwürdig künstlichen Blüten, und das Wildbad, von dem Borchardt spricht, ist hie und da zur bloßen Schaumschlägerei geworden. So ist es nicht überflüssig, zu wiederholen, was eigentlich selbstverständlich ist: daß wir nicht darum herumkommen, auch in der Folklore und ihrer Literatur nach Niveauunterschieden zu fragen und, mit dem Ausdruck Benedetto Croces, *poesia* und *non-poesia* auseinanderzuhalten.

Daß die alemannischen Mundarten in höchster Poesie erklingen können, wenn das Instrument vom richtigen Mann gespielt wird, dafür gibt es Beispiele genug. Es ist, das liegt in der Natur der Sache, keine Poesie der großen Bewegung, der weiten geistigen Räume, sondern eine des Intimen und Familiären – daher auch ihre ständige Gefährdung, ins Niedliche, belanglos Trauliche abzugleiten. Aber bei einem Johann Peter Hebel erweist es sich auch, in welchem Maß Mundartpoesie welthaltig sein kann. Und nicht nur bei ihm. Am 7. Dezember 1960 starb in Interlaken ein bernischer Dialektdichter, der diesen Namen zu Recht tragen kann, weil er wirklichen Dialekt und wirkliche Gedichte geschrieben hat. Es ist Albert Streich aus Brienz. In seinem letzten Band *Sunnigs und Schattmigs* finden wir Gedichte wie dieses:

DRY VEGELLENI

Dry Vegelleni singen im Beun.
Dry Bliemleni blieejen im Ried.
Am Himel es Welchelli ziehd
schneewysses im Blaawwe wwiee Teun.

Dry Bächleni ruuschen i ds Tal.
Dry Sunnelleni schynnen uf ds maal.
Dry Windleni strychen dir ds Land
milt wiee en er Muetter d'Hand.

Man kann sagen, das sei ein Gedichtlein, und es ist vielleicht auch eines – aber was für eins! Es ist nicht meine Sache, mich über die Sprache, diese Brienzer Mundart, des Dichters zu verbreiten. Man kann sie natürlich nachprüfen und feststellen, daß sie richtig ist, «stimmt», aber auch wer es nicht kann, muß aus den reichen Lautungen heraushören, wie alles selbstverständlich an seinem richtigen Platz und im guten Verhältnis zum Vorhergehenden und Nachfolgenden steht. Das Gedicht stimmt sprachlich, und es stimmt poetisch, so klein und unscheinbar es sich gibt. Ein Dreier-Motiv durchzieht es und steigert sich zugleich, von den scheinbar nur naturalistischen drei kleinen Vögeln bis zu dem kühnen und ganz unerwarteten Bild der drei Sonnen, die plötzlich scheinen – «dry Sunnelleni schynnen uf ds maal». Und am Ende einer jeden Strophe löst sich die Dreiheit in einer Einheit auf: zuerst in der kleinen weißen Wolke, dann im ganz einfachen Vergleich der Winde mit einer mütterlichen Hand, einem Vergleich, in dem die gedämpfte Erregung des Gedichts zur Ruhe kommt. Die Struktur dieser acht Verse ist einfach, aber keineswegs primitiv, sondern höchst kunstvoll. In der poetischen Dreierformel der Vögel, Blumen, Bächlein, Sonnen und Winde kristallisiert sich die Sehnsucht und die Resignation des menschlichen Daseins, die immer wieder zurückstrebt zur Einheit, zum Ursprung. Kein Zweifel, dieses kleine Gedicht ist künstlerisch ein höchst bedeutendes Gedicht – nicht seiner Mundart, nicht seines folkloristischen oder scheinbar folkloristischen Hintergrunds wegen, sondern weil es die genaue Übereinstimmung der Sache mit der Sprache verwirklicht hat.

Stets sind es einfache Dinge, die dieser Lyriker in den Vers hereinholt: «ds Schyngiegi» – das Marienkäferchen – an einem sonnigen Tag, «d Pfyffholtren» – der Schmetterling – als Spiegelung des entschwindenden Kindertraums, und wieder ein heiterer Tag, Wölklein, Wind, See, Berg und Sonne, Gewitterstimmung, Einnachten und Abendgebet, eine schmale Welt, eine enge und beschränkte, wenn man will, aber eine Welt, die in der Beschränkung Kunst geworden ist, über alle Schranken hinweg an das ganz Große rührt und von ihm eine Antwort erhält, die sich manchem hohen Anspruch versagt.

Der Dichter und die Politik

Was ist ein politisches Gedicht? Die Frage scheint leicht zu beantworten. Es ist, könnte etwa gesagt werden, ein Gedicht, das sich eindeutig zum Wortträger einer politischen Tendenz macht. Beispiele bieten sich sogleich an: Rouget de Lisles *Marseillaise* oder Gottfried Kellers *O mein Heimatland* – und freilich auch Josef Weinhebers Hymne auf Hitler und Johannes R. Bechers Verherrlichung Stalins. Bei diesen Stücken beginnen auch schon die Schwierigkeiten. Denn wenn wir sie zur Not noch als politische Äußerungen bezeichnen können, so handelt es sich bei ihnen doch ganz sicher nicht um Gedichte – vorausgesetzt, daß wir das Wort in einem andern als dem aller oberflächlichsten Sinn nehmen. Sehen wir noch genauer zu: auch die *Marseillaise* – gemeint ist hier nur der Text, nicht die Komposition – ist im Grunde nicht mehr als ein Konglomerat rhetorisch aufgeplusterter Gemeinplätze. Und die Verse Gottfried Kellers sind zwar ein bedeutendes lyrisches Stück, aber in viel höherem Maß Ausdruck eines individuellen Bekenntnisses als eines politischen Programms.

Wie man weiß, hat sich der junge Keller als politischer Lyriker von den Gedichten bestimmter Zeitgenossen inspirieren lassen. In der im allgemeinen so unpolitischen Geschichte der deutschen Dichtung gibt es in der Tat ein durchaus politisches Kapitel, nämlich die Lyrik der Anastasius Grün, Hoffmann von Fallersleben, Georg Herwegh, Ferdinand Freiligrath in den 30er und 40er Jahren des letzten Jahrhunderts. Es handelte sich bei diesen Männern zumeist um revolutionäre Liberale, die im Gegensatz zur reaktionären Politik der deutschen Fürstenstaaten standen und für ihre Gesinnung wenn nötig auch das Exil auf sich nahmen. Ihre Hoffnungen scheiterten in der mißglückten Revolution von 1848 zwar endgültig, aber als politische Kämpfer und Warner dürfen sie beispielhaft heißen. Wenn irgendwo, so kann das deutsche politische Gedicht bei ihnen seine Rechtfertigung finden.

Stellvertretend für viele stehe hier ein Stück von Georg Herwegh. Herwegh, 1817 in Stuttgart geboren, war das, was man heute einen politischen Aktivisten nennt; vor und nach 1848 lebte er längere Zeit in der Schweiz und in Frankreich im Exil, schließlich machte er mit dem Deutschland, wie es war, doch seinen Frieden und starb 1875 in der Nähe von Baden-Baden. Das Gedicht entnehme ich dem Band, der ihn berühmt machte: *Gedichte eines Lebendigen. Mit einer Dedikation an den Verstorbenen. 4. Auflage, Zürich und Winterthur, Verlag des literarischen Comptoirs, 1842.* Die Erstausgabe ist ein Jahr älter.

DEM DEUTSCHEN VOLK

Deutschland, o zerrissen Herz,
Das zu Ende bald geschlagen,
Nur um Dich noch will ich klagen
Und in einer Brust von Erz
Schweigend meinen kleinen Schmerz,
Meinen kleinen Jammer tragen,
Vaterland um Dich nur klagen.

Lustig grünt Dein Nadelholz,
Lustig rauschen Deine Eichen:
In den neun und dreißig Reichen
Fehlt ein einzig Körnchen Golds:
Freier Bürger hoher Stolz
Fehlt im Lande sonder Gleichen,
In den neun und dreißig Reichen.

Wenn ein Sänger für Dich focht,
Wenn ein Mann ein Schwert geschwungen,
Hast Du scheu nur mitgesungen,
Hast Du schüchtern mitgepocht;
Und man hat Dich unterjocht,
Hat Dich in den Staub gezwungen,
Weil Du gar so still gesungen.

Ihr beweinet's und bereut's –
Und das nennt ihr deutsche Treue?
Laßt die Thränen, laßt die Reue,
Soll nicht einst der Enkel Teut's
Sterben an der Zwietracht Kreuz,
Kämpf' und handle, Volk, aufs Neue,
Denn der Teufel ist die Reue!

Tritt in Deiner Fürsten Reihn!
Sprich: die neun und dreißig Lappen
Sollen wieder besser klappen
Und Ein Heldenpurpur sein;
Ein Reich, wie Ein Sonnenschein!
Ein Herz, Ein Volk und Ein Wappen!
Helf' uns Gott – so soll es klappen.

Es ist sonderbar: Wenn wir das Gedicht gehört oder gelesen haben, wissen wir kaum mehr, ob es sich um einen Aufruf für oder gegen die liberale Revolution handelt, ob der Verfasser als europäisch gesinnter Demokrat oder als Deutschnationaler, ob er als Fortschrittlicher oder als Reaktionär spricht. Die ganze Phraseologie, von der das Gedicht lebt, das «zerrissene Herz» Deutschland, die «Brust von Erz», die rauschenden Eichen, der schwertschwingende Sänger, der Heldenpurpur, läßt sich beliebig verwenden, als Versatzstücke einer so oder anders beleuchteten Szenerie, in der selbst ein so klares Bekenntnis wie das, es fehle in Deutschland «freier Männer hoher Stolz», zum unverbindlichen Requisit wird. Und das dürfte sich nicht erst in heutiger Sicht so darstellen. Ein Ausdruck wie «der Enkel Teut's», eine rhetorische Umschreibung des Deutschen, stammt aus der Zeit Klopstocks, mußte also bereits zur Zeit Herweghs antiquiert und theatralisch wirken. Gewiß, das Gedicht hat einen lebhaften, frischen Schwung, es wirkt in Bewegung und Versbau keineswegs dilettantisch. Aber seine Auseinandersetzung mit der politischen Wirklichkeit beschränkt sich auf Gebärden beliebiger Rhetorik. Das soll nicht heißen, es sei Herwegh mit seinen liberalen Gedanken nicht ernst gewesen, es zieht auch die Wirkung, die solche Verse zu ihrer Zeit ausgeübt haben, nicht in Zweifel. Aber es heißt, daß das Gedicht als Gedicht mißglückt ist. Hätte es überhaupt gelingen können? Oder gilt vielleicht allgemein, daß ein Dichter dort, wo er in erster Linie als politisch Engagierter sprechen will, nicht mehr als Dichter spricht?

In seiner Abhandlung *Was ist Literatur?* plädiert Jean-Paul Sartre für das politische Engagement des Schriftstellers. Aber er beschränkt seine Forderung auf den Prosaautor. Vom lyrischen Dichter, sagt er, wäre es töricht, eine politische Bindung und ein Bekenntnis zu verlangen, weil bei diesem die Auseinandersetzung mit der Welt auf der Ebene der Sprache stattfinde. Wie das gemeint sein kann, sei an einem zeitgenössischen Beispiel gezeigt, dem Gedicht *An alle Fernsprechteilnehmer* von Hans Magnus Enzensberger, von einem Autor also, dem man gewiß nicht politische Interesselosigkeit vorwerfen kann.

AN ALLE FERNSPRECHTEILNEHMER

etwas, das keine farbe hat, etwas,
das nach nichts riecht, etwas zähes
trieft aus den verstärkerämtern,
setzt sich fest in die nähte der zeit
und der schuhe, etwas gedunsenes
kommt aus den kokereien, bläht
wie eine fahle brise die dividenden
und die blutigen segel der hospitäler,
mischt sich klebrig in das getuschel
um professuren und primgelder, rinnt,
etwas zähes, davon der salm stirbt,
in die flüsse, und sickert, farblos,
und tötet den butt auf den bänken.

die minderzahl hat die mehrheit,
die toten sind überstimmt.

in den staatsdruckereien
rüstet das tückische blei auf,
die ministerien mauscheln, nach phlox
und erloschenen resolutionen riecht
der august. das plenum ist leer.
an den himmel darüber schreibt
die radarspinne ihr zähes netz.

die tanker auf ihren helligen
wissen es schon, eh der lotse kommt,
und der embryo weiß es dunkel
in seinem warmen, zuckenden sarg:

es ist etwas in der luft, klebrig
und zäh, etwas, das keine farbe hat
(nur die jungen aktien spüren es nicht):
gegen uns geht es, gegen den seestern
und das getreide. und wir essen davon
und verleiben uns ein etwas zähes,
und schlafen im blühenden boom,
im fünfjahresplan, arglos
schlafend im brennenden hemd,
wie geiseln, umzingelt von einem zähen,
farblosen, einem gedunsenen schlund.

Das ist zunächst ein Gedicht über die Radioaktivität. Aber
es ist kein Gedicht für oder gegen die Atombewaffnung, für
oder gegen ein Programm. Im Gegenteil: die Erscheinung der
Radioaktivität in unserer Welt ist hier aller handgreiflichen
politischen Bezüge entkleidet. Sie erscheint zurückgeführt auf
ihre allgemeinsten Wesenszüge, auf das Elementare, das ihr
innewohnt; sie ist, wie Enzensberger sagt, «etwas, das keine
farbe hat, etwas / das nach nichts riecht, etwas zähes». Anstelle
eines Dogmas oder eines Bekenntnisses, versucht der Dichter
eine Bestandesaufnahme zu geben. Anstelle der Reflexion über
eine Sache tritt die Sache selber ins Gedicht: «die blutigen Segel
der hospitäler», das «leere plenum», das «netz der radarspinne»,

die «jungen aktien». Dies sind Figuren der Bestandesaufnahme. Sie entstehen dadurch, daß der Verfasser die Formeln unserer Alltagssprache in neue Zusammenhänge bringt und sie damit in ihrer durch die Gewohnheit neutralisierten Banalität oder in ihrem Schrecken sichtbar macht. Das führt oft zu pointierten, bissigen Formulierungen, wie derjenigen vom «blühenden boom» – und es kann natürlich auch zum bloßen Wortspiel, zum Kalauer führen. In einem Essay *Die Entstehung eines Gedichts* hat Enzensberger im einzelnen gezeigt, wie diese Figuren in seinem Gedicht zustande gekommen sind. Auch das gehört dazu: statt über ein politisches Programm reflektiert der Dichter über seine Sprache. Im Gegensatz zu Herwegh geht es bei Enzensberger nicht um die literarische Verbrämung eines politischen Tatbestandes, sondern um das Registrieren einer Welt im Medium der Sprache. Es ist eine Welt, in welche die Politik unheilvoll hineinspielt, aber was entsteht, ist kein politisches Gedicht. Oder dann wäre jedes gute Gedicht auf seine Weise politisch. Vielleicht hat der Dichter nur so, als Unpolitischer, eine Chance, in einem tieferen Sinn politisch zu wirken.

Der Schwache ist in die Feuerzonen gerückt

Man sagt, es sei verkehrt, Gedichte als Gefäße sogenannter weltanschaulicher Bekenntnisse zu verstehen, also als literarischen Vorwand, politische, religiöse oder andere Ansichten bekanntzugeben. Der Dichter, der so schreibe, und der Leser, der so lese, gingen beide am Eigentlichen, was das Gedicht ausmache, vorbei, nämlich an der Kunst. Das ist ohne Zweifel richtig, aber es ist nur die halbe Wahrheit. Gefährlich ist es nämlich auch, das Gedicht *bloß* als sprachliches Gebilde aufzufassen: wenn es ein Gedicht und nicht *nur* eine Stilübung ist, enthält es immer auch ein Stück Menschlichkeit. Durch die Erfahrung der Sprache und mit ihr zeigt es etwas vom Menschen, von *dem* Menschen, der es geschrieben hat. Das Gedicht ist auch ein Spiegel seines Verfassers und dessen Zeit, Religion, Politik und Gesellschaft, denen er zustimmt oder gegen die er sich auflehnt. Und die Wandlung des lyrischen Ausdrucks zeigt die Wandlung des Menschen in seiner Welt.

Die folgenden zwei Kriegsgedichte stammen aus unserem Jahrhundert. Ihre Gegenüberstellung macht etwas von den Veränderungen sichtbar, die das Verhältnis des Dichters zu den Institutionen seiner Umwelt in diesem Jahrhundert erfahren hat. Der Verfasser des ersten Gedichts ist Emanuel von Bodman, 1874–1946, ein nicht gerade berühmter, aber von Kennern doch sehr geschätzter süddeutscher Schriftsteller von bemerkenswerter, wenn auch etwas konventioneller Sprachgestaltung. Das Gedicht heißt *Abschied des Kriegsfreiwilligen;* ich habe es der 1924 in Berlin erschienenen Anthologie *Saat und Ernte der deutschen Lyrik unserer Tage* entnommen.

> Nun schlug auch mir die Stunde,
> Wo ich zur Fahne muß.
> In meinem tiefsten Grunde,
> Da reifte der Entschluß.
> Von meines Hauses Schwelle

Treibt's mich in unser Heer.
Bald bin ich eine Welle
Im großen grauen Meer.

Ins Schwanken kommt, was teuer
Und süß dem Herzen war,
Und glänzt doch täglich neuer
In dunkelnder Gefahr.
Ich liebe auch mein Leben,
Und bin doch stets bereit,
Es willig hinzugeben
Für seine Ewigkeit.

Nie darf zur Herrin werden
Die Lust am eignen Sein,
Ich müßt ja in die Erden
Lebendigen Leibs hinein.
Ich will die Glut erwerben,
Die nie zu Asche fällt,
Im Leben oder Sterben
Als Herr von dieser Welt.

Der dominierende Eindruck, den man von diesem Gedicht vorerst empfängt, ist wohl der einer bestimmten Harmonie. Der Verfasser hat diesen Eindruck beabsichtigt. Das Gedicht ist einheitlich gebaut, und die drei liedhaften Strophen sind mit wohlklingenden Reimen ausgestattet. Etwas Maßvolles und Kultiviertes geht von ihm aus, aber auch etwas Religiöses – oder Pseudoreligiöses – schwingt mit: das Gedicht tönt stellenweise fast wie ein Kirchenlied. Eines ist sicher: Hier spricht ein Mensch im Einklang mit der Welt, im Einverständnis mit dem, was um ihn her geschieht. Die Form des Gedichts ist denn auch folgerichtig: Strophen und Reime, die im Sinne traditioneller Ästhetik «gut klingen», geben dieser Bejahung Gestalt. Nun haben wir es hier aber mit einem Kriegsgedicht zu tun. Das Stichwort Bejahung ist in diesem Zusammenhang seltsam genug. Und doch ist es so: Ein Kriegsfreiwilliger des

Ersten Weltkriegs bekennt sich in diesen Strophen zum Schicksal, das er wählte. Mehr noch: es wird eine Art Lebenslehre geboten des Inhalts, man müsse bereit sein, sein Leben für ein Höheres hinzugeben, nur dadurch werde man – mit den Worten Bodmans – «Herr von dieser Welt». Es ist die Moral des Schillerschen Reiterliedes: Und setzet ihr nicht das Leben ein, nie wird euch das Leben gewonnen sein. Mit einem ganz wesentlichen Unterschied: bei Bodman bezieht sich die Moral auf die fürchterlichen Materialschlachten des Weltkriegs, auf eine Wirklichkeit, von der in seinem Gedicht allerdings nichts zu merken ist. Bei ihm wird die Realität des modernen Krieges versteckt, verschönt und verharmlost. An dem, was auf den Schlachtfeldern tatsächlich vorgeht, redet es kunstvoll vorbei. Bezeichnend, daß es von der Fahne der Freiwilligen spricht – wo doch in den Schützengräben wahrhaftig kein Platz war für Fahnen. An solchen Details beginnt man zu merken, daß die schönen Abschiedsstrophen nicht stimmen. Auch die gedankliche Argumentation ist, wenn man genau zusieht, schwach. Daß man sich für die Ewigkeit des Lebens hingeben solle: kann so etwas hier noch mehr sein als eine Phrase? Das Gedicht Bodmans ist wohl kein schlechtes Gedicht, aber es ist ein Gedicht, das vor allem andern von schönen Worten lebt, auch wenn diese Worte keinen konkreten Sinn mehr besitzen. Natürlich wurden zur Zeit Bodmans auch ganz andere Kriegsgedichte geschrieben; aber das ist in unserem Zusammenhang nicht entscheidend. Der *Abschied des Kriegsfreiwilligen* vertritt für uns eine ganz bestimmte Art, den Krieg «dichterisch» zu erleben und zu verklären – eine Art, die spätestens seit Hiroshima absurd geworden ist.

Das zweite Gedicht stammt aus dem Band *Die gestundete Zeit* von Ingeborg Bachmann, der 1953 erschien. Auch das Gedicht der Bachmann ist auf seine Weise konventionell, nur entspricht es einer anderen Konvention – das heißt Übereinkunft – als die Verse Bodmans, nämlich der formalen und geistigen Konvention der europäischen Poesie nach dem Zweiten Weltkrieg: Verzicht auf nur Wohlklingendes, formelhaft konzentrierte

Aussage, die oft der Prosa nahe steht, gesellschaftskritische Haltung.

> *Der Krieg wird nicht mehr erklärt,*
> *sondern fortgesetzt. Das Unerhörte*
> *ist alltäglich geworden. Der Held*
> *bleibt den Kämpfern fern. Der Schwache*
> *ist in die Feuerzonen gerückt.*
> *Die Uniform des Tages ist die Geduld,*
> *die Auszeichnung der armselige Stern*
> *der Hoffnung über dem Herzen.*
>
> *Er wird verliehen,*
> *wenn nichts mehr geschieht,*
> *wenn das Trommelfeuer verstummt,*
> *wenn der Feind unsichtbar geworden ist*
> *und der Schatten ewiger Rüstung*
> *den Himmel bedeckt.*
>
> *Er wird verliehen*
> *für die Flucht von den Fahnen,*
> *für die Tapferkeit vor dem Freund,*
> *für den Verrat unwürdiger Geheimnisse*
> *und die Nichtachtung*
> *jeglichen Befehls.*

Wer hier spricht, ist die Generation, die durch die jüngste Geschichte viele Illusionen verloren hat. Krieg ist sozusagen zum Normalzustand geworden; die Dichterin sagt, er werde nicht mehr erklärt, sondern fortgesetzt. Helden gibt es keine mehr. Der Durchschnittsmensch – der Schwache – ist in die Feuerzonen gerückt. Ein Begriff wie derjenige der Auszeichnung hat seinen herkömmlichen Sinn verloren. Im heutigen Krieg geht es nur noch darum, zu überleben. Diese Hoffnung ist die einzige Auszeichnung, von der man noch sprechen kann, und sie wird erst verliehen, wenn das Trommelfeuer schweigt. Am Schluß sagt Ingeborg Bachmann ganz deutlich, was sie meint, in pointierter Umkehrung der traditionellen Soldatentugenden: Flucht von den Fahnen, Tapferkeit – nicht vor dem Feind, sondern – vor dem Freund, Verrat unwürdiger Geheimnisse, Befehlsverweigerung.

Ein Gedicht wie dieses ist die logische Folge zweier Weltkriege, die Aufforderung zur Befehlsverweigerung die Folge unzähliger verbrecherischer Befehle. Die völlige Bejahung der Umwelt und ihrer Institutionen, wie sie bei Bodman festzustellen ist, hat der totalen Verneinung Platz gemacht, das Einverständnis der Absage, die Harmonie der Dissonanz. Der allzu staatsfromme Dichter ist ein Rebell, der Kriegsfreiwillige ein Dienstverweigerer geworden. Ein Gedicht wie Bodmans Abschiedslied bezeichnet in seiner inneren Fragwürdigkeit den Punkt, an dem eine solche Umkehrung notwendig wurde. Bereitschaft und Zustimmung müssen zur Pose und das harmonische Lied muß zur bloßen Rhetorik werden, wenn sie keiner lebendigen Wirklichkeit mehr entsprechen. Aber dieses Gesetz gilt auch umgekehrt. Wenn sie nicht Ausdruck einer persönlichen Erfahrung sind, werden auch Widerstand und Kritik zur leeren literarischen Gebärde und verlieren auch die aufrüttelnden Schlagzeilen der modernen Nachkriegsgedichte ihre Glaubwürdigkeit.

Unter der Wurzel der Distel

Wir sprechen von «den Leuten». Aber wer sind «die Leute»? Keine Wirklichkeit, denn Wirklichkeit ist immer individuell: Herr L. mit seinem fleckigen Hut, Frau N. mit ihren Seidenfoulards und ihrer Migräne, Fräulein W., freundlich und geizig ... So sprechen wir von «der deutschen Lyrik». Was ist «die» deutsche Lyrik? Deutsche Lyrik von heute: sind das bestimmte vorfabrizierte Wendungen in Einerkolonne, wie uns einige glauben machen wollen? Sprechen wir nicht von «der» Lyrik, sondern von Gedichten, von individuellen Gedichten, fleckigen, freundlichen, migränekranken! Das individuelle Gedicht, es gibt es auch heute, und es bleibt das einzige, das zählt. Durch ihr Dasein setzen diese Gedichte immer wieder das Schema außer Kraft. Das Reglement (Erstens: Das Andichten ist verboten; zweitens: «Wie» ist verboten ... usw.) wird vor der Wirklichkeit gegenstandslos. Man wollte den Reim ächten. Ich kenne viele moderne Gedichte, die gereimt sind. Man wollte die Strophe, das Liedhafte, den Vergleich ächten. Ich kenne viele moderne Gedichte, die sich der regelmäßigen Strophe bedienen, die liedhaft sind, die mit Vergleichen arbeiten. Ein Beispiel, nur eines, aus dem Gedicht *Jugend der Städte* von Wolfgang Bächler:

> *Auf den Balkonen des Lebens*
> *stehn wir, hinabgebeugt,*
> *und lauschen, ob uns vergebens,*
> *vergebens die Eltern gezeugt.*

Alles ist hier drin: das Liedhafte, die Strophe, der Reim, der Vergleich («die Balkone des Lebens»). Ich entnehme das Beispiel dem *Almanach der Gruppe 47, 1947–1962*. Natürlich ließen sich viele andere Beispiele beibringen, aus Gedichtbänden und Anthologien, die Woche um Woche erscheinen. Aber man nähme diese Beispiele vielleicht nicht ernst, würde sagen: Das ist nicht moderne deutsche Literatur. Einen Text aus dem Kreis der Gruppe 47 kann man nicht so leicht mit dem Odium des Unzeitgemäßen behaften. Ich halte es für lehrreich, ein Kompendium derart offensichtlich, ja demonstrativ moderner (zeitkritischer, «formalistischer») Literatur, wie es dieser Almanach der Gruppe 47 ist, einmal unter diesem Gesichtspunkt zu lesen: Wie weit entspricht sein literarisches Niveau dem Allerweltsmodernismus, wie er heute (auch bei uns in der Schweiz) auf allen Gassen feilgeboten wird? Man kann feststellen: Es gibt keine Entsprechung. Helmut Heissenbüttel und Günter Eich, Paul Celan und Hans Peter Keller, Hans Magnus Enzensberger und Ingeborg Bachmann: hier – um bei den Lyrikern zu bleiben – geht es um keinen modernistischen Kanon, sondern um individuelle poetische Wirklichkeiten. In solcher Vielfalt, die stärker ist als alle Dogmen, liegt eine große Hoffnung für die deutsche Literatur.

Das Plädoyer für die Vielfalt soll uns indessen für Gemeinsamkeiten nicht blind machen. Es gibt sie; ich glaube, vor allem zwei: die hochentwickelte sprachliche Technik und das kritische Verhältnis zur zeitgenössischen Gesellschaft. Das ist eine Haltung, die, vom andern Ende her gesehen, als «formalistisch» und als «destruktiv» gilt. Aber in ihrer schrecklichen Vereinfachung besagen diese Vorwürfe kaum mehr, als daß man im Wohlstand von den Schriftstellern nicht aufgestört werden möchte. Den Gedichten moderner Autoren – und keineswegs nur denen, die zur Gruppe 47 gehören – eignet aus dieser Handwerksgesinnung und aus diesem Widerspruchsgeist oft eine geheime Übereinstimmung. Etwas Verborgenes und etwas Stachlig-Abwehrendes wohnt ihnen inne. Bei Peter Huchel steht die Formel «Unter der Wurzel der Distel wohnt nun die Sprache». Sprache heißt dann, im Gegensatz zum geschändeten Alltagsjargon: die Sprache der Dichter.

Peter Huchel, von dem hier die Rede ist, darf das hohe Recht, ein Gewährsmann der zeitgenössischen deutschen Dichtung zu heißen, wie wenige andere für sich beanspruchen. Er ist heute ein über sechzigjähriger Mann. Aufgewachsen ist er auf einem Bauernhof in der Mark Brandenburg, er war dann einige

Jahre in Frankreich und anderswo, erlebte den Krieg, die Gefangenschaft und war nach 1945 am Ostberliner Radio und Redaktor der Zeitschrift *Sinn und Form*, einer Zeitschrift, die so gut war, daß der Redaktor von den Machthabern entlassen wurde und seither völlig zurückgezogen in der Nähe von Berlin lebt. Gehört vielleicht gerade das zu unserer Zeit: der Dichter, der auf kaltem Wege ausgeschaltet wird, der Dichter, den man im eigenen Land «ausmanövriert» hat, der Macht besitzt über die Sprache, aber keine Macht über die Macht – ist das vielleicht Zeitgenossenschaft, mehr als alle Literaturkongresse und Programme? Wir dürfen diese Frage bei Peter Huchel stellen, weil sie bei ihm nicht einmünden kann in das altbekannte Klagelied vom verkannten Dichter. Huchel ist, im Gegenteil, seit langem zumindest in Deutschland, bekannt, ja berühmt – und trotzdem erscheint er, in seiner merkwürdigen Isolation verharrend, wie ein Symbol der Wirkungslosigkeit des Dichters in der modernen Gesellschaft. Aber es ist nicht nur die Gesellschaft, die den Dichter ausschließt, sondern auch der Dichter, der sich von der Gesellschaft zurückzieht – auf jeden Fall Dichter wie dieser, denen es nicht liegt, Texte für Parteiaufmärsche oder für die Verbrauchsgüterindustrie zu verfassen.

In dem Band *Chausseen Chausseen* steht das Gedicht

LANDSCHAFT HINTER WARSCHAU

Spitzhackig schlägt der März
Das Eis des Himmels auf.
Es stürzt das Licht aus rissigem Spalt,
Niederbrandend
Auf Telegrafendrähte und kahle Chausseen.
Am Mittag nistet es weiß im Röhricht,
Ein großer Vogel.
Spreizt er die Zehen, glänzt hell
Die Schwimmhaut aus dünnem Nebel.
Schnell wird es dunkel.

Flacher als ein Hundegaumen
Ist dann der Himmel gewölbt.
Ein Hügel raucht,
Als säßen dort noch immer
Die Jäger am nassen Winterfeuer.
Wohin sie gingen?
Die Spur des Hasen im Schnee
Erzählte es einst.

Eine Landschaft. Vorfrühling, die Nebeldecke – das Eis des Himmels – zerreißt, Licht stürzt nieder, wie ein großer Vogel nistet es mittags am Ufer mit Füßen aus Nebel, dünn wie Schwimmhäute, und wenn es einnachtet, lastet der Himmel tiefer, flacher, ein Hundegaumen, in den hinein die Landschaft verschwindet. Auf einem Hügel raucht es noch, aber der Rauch täuscht, die Jäger, die am nassen Winterfeuer saßen, sind fort. Wohin gingen sie? Das Gedicht fragt. Es antwortet nicht. Die Spur des Hasen im Schnee ist keine Antwort, höchstens ein Hinweis, ein unsicherer, bald verwehter Hinweis: sie erzählte es einst, einst, jetzt nicht mehr. Vielleicht gehört auch das zu unserer Zeit: die Frage ohne Antwort, die Frage, die höchstens einen vieldeutigen Hinweis als Antwort hat, aber keine Gewißheit.

Was tut hier der Dichter? Im Gedicht *In der Bretagne* heißt es:

Naßkahler Ginster. Und ihr Gehäuse
Verschloß die Schnecke mit kalkiger Wand.
Gedämpft das Licht in des Regens Reuse.
Und Steine und Stimmen im heidigen Land.

Das ist wie eine Bestätigung dessen, was wir vom Dichter Peter Huchel sagten. Im Herbst schließt die Schnecke sich in ihr Haus ein. Gegen Kälte und Tod bewahrt sie einen kleinen umgrenzten Raum des Lebens. Natur bedeutet hier auch die Natur des Menschen, die Natur des Dichters und die Natur seiner Sprache:

Unter der Wurzel der Distel
Wohnt nun die Sprache,
Nicht abgewandt,
Im steinigen Grund.
Ein Riegel fürs Feuer
War sie immer.

Leg deine Hand
Auf diesen Felsen.
Es zittert das starre
Geäst der Metalle.
Ausgeräumt ist aber
Der Sommer,
Verstrichen die Frist.

Es stellen
Die Schatten im Unterholz
Ihr Fangnetz auf.

Wie sich die Schnecke in ihr Haus zurückgezogen hat, so wohnt nun auch die Sprache unter der Wurzel der Distel. Sie wehrt ab, stachlig. Dort und hier ist Herbst, der Sommer ist ausgeräumt, die Frist verstrichen. Spätzeit. Nicht irgendeine, sondern unsere Spätzeit, wo das starre Geäst der Metalle zittert. Eine Zeit der Bedrohung auch: im Unterholz wartet das Fangnetz der Schatten. Aber auch in dieser Zeit ist die Sprache des Dichters da. Zwar wohnt sie unter der Wurzel der Distel, muß sie dort wohnen, aber im steinigen Grund ist sie trotzdem «nicht abgewandt». Das heißt: sie bleibt uns zugewandt, wenn wir uns von ihr nicht abwenden. Sie war immer ein Riegel fürs Feuer und ist es auch heute, das heißt: sie bändigt das Unbändige, indem sie es beschwört, schafft auch heute Ordnung und Sinn.

Afrikanische Botschaft

Dans le creuset de la langue française, im Schmelztiegel der französischen Sprache, überschreibt Jean Rousselot das letzte Kapitel seines *Panorama critique des nouveaux poètes français*. Unter diesem Titel erscheinen Dichter französischer Sprache, die nicht aus Frankreich stammen: Belgier, Schweizer, Nordafrikaner, Libanesen, Kanadier. Auch die zwei größten schwarzen Lyriker, die zur französischen Literatur gehören, treten in diesem Zusammenhang auf: Aimé Césaire, 1912 auf Martinique geboren, und Léopold Sédar Senghor, 1906 in Senegal geboren. Wenn das Wort vom Schmelztiegel der französischen Sprache irgendwo seine Berechtigung hat, so ganz gewiß in Hinsicht auf diese und andere «farbige» Dichter, in deren Werk die Bildungssprache der Kolonisatoren zum Gefäß für durchaus uneuropäische, ja oft antieuropäische Inhalte geworden ist. Auch wenn wir heute von einer sich heranbildenden «poetischen Weltsprache» reden, auch wenn bei Dichtern wie Césaire und Senghor die Parallelen zur Lyrik des einstigen Mutterlandes – vor allem zu ihrer surrealistischen Komponente – nicht fehlen, so ist und bleibt diese exotische Dichtung in ihrem tiefsten Wesen doch durch die Herkunft und den Standort ihrer Autoren geprägt und wird aus diesem Grund vom modernen Europäer stets als fremdartig, aber gerade deshalb auch als faszinierend empfunden werden. Herkunft bedeutet hier nicht nur Westindien oder Afrika, sondern auch Kolonialland, das heißt Untertanenland. Standort aber heißt: Emanzipation von kultureller und politischer Bevormundung und Hinwendung zum Erbe der eigenen, afrikanischen oder westindischen, Heimat. Die Poesie ist bei diesen Dichtern immer auch Werkzeug eines politischen und kulturpolitischen Programms, und es ist kein Zufall, daß bei Césaire und bei Senghor Politik und Literatur in Leben und Werk zusammengehören.

Es ist noch heute bei uns Brauch, von der «Primitivität» der Negerdichtung zu sprechen, und wenn der Begriff der Primitivität in neuerer Zeit auch eine Umwertung erfahren hat und nicht mehr denjenigen der Rückständigkeit impliziert, so verbindet man damit doch fast immer die Vorstellung des Urtümlich-Unbewußten und Anti-Intellektuellen. Das ist sehr oft falsch, und gerade dort, wo ein exotischer Dichter im «Schmelztiegel» einer «empfangenen» Bildungssprache seinen Ausdruck gefunden hat. Denn Bildungssprache ist nicht nur Sprache, sondern auch Bildung, im Falle des Französischen eine vernunftmäßige methodische Bildung. So sind gerade Césaire und Senghor bezeichnende Vertreter einer farbigen französischen Intelligenz, zugleich aber auch Vertreter und Wortführer jener Erneuerung der Negerkultur, die ihre Tradition der europäischen als ebenbürtig gegenüberstellt und in diesem neuen Selbstbewußtsein auch die politische Gleichberechtigung anstrebt und erringt. Der Lebenslauf Léopold Sédar Senghors enthält beispielhaft die Elemente französischer Bildung, afrikanischer *négritude*, politischer und kultureller Selbstwerdung, nicht nur als Ziel, sondern auch als Erfüllung. In Dakar, dann in Paris absolvierte er sein Literaturstudium, an französischen Gymnasien unterrichtete er alte Sprachen, nach dem Krieg (den er zum Teil mitmachte) war er als Abgeordneter Senegals in der Nationalversammlung und als Professor an der *Ecole Nationale de la France d'Outre-Mer* tätig, wurde dann im Zuge der «Entkolonialisierung» Parlamentspräsident der Mali-Föderation und nach deren Auseinanderbrechen Präsident der Republik Senegal. Parallel zu der glänzenden öffentlichen Karriere nahm auch sein Ruf als Lyriker zu, vor allem mit den Gedichtbänden *Nocturnes*, *Ethiopiques* und *Chants d'ombre*.

Es bedeutet keine Einschränkung der dichterischen Ursprünglichkeit Senghors, wenn man feststellt, daß seine poetische Form über weite Strecken an Paul Claudel und Saint-John Perse erinnert (den Einfluß Claudels hat der Dichter übrigens freimütig selber zugegeben), das heißt an eine Form, die nicht auf einem vorgegebenen rhythmischen Schema, sondern auf den elementaren Tatsachen des menschlichen Sprechens,

Singens und Atmens beruht, also stets variable, nicht nach-
kontrollierbare, sondern nur nachvollziehbare Sprachmelodien
bildet. Die Gedichte Senghors gründen ihre Verwandtschaft
zu Claudel und Saint-John Perse indessen in erster Linie nicht
auf eine äußerliche «Beeinflussung», sondern auf der Tatsache,
daß sie, als Lyrik im ursprünglichen Sinn des Wortes, stets
Gesang sind: Liebeslied, festliche Hymne, Klagegesang, Beschwörung, Litanei. Der Dichter schöpft aus der Quelle des
Lyrischen, dem Tanz und der Musik, wie sie für ihn in der
Tradition seiner Heimat immer lebendig sind, als Chor der
Stammesgemeinschaft und Stimme des Einzelnen, im Wider-
spiel des Individuellen und des Kollektiven:

LE TOTEM

Il me faut le cacher au plus intime de mes veines
L' Ancêtre à la peau d' orage sillonnée d'éclairs et de foudre.
Mon animal gardien, il me faut le cacher
Que je ne rompe le barrage des scandales.
Il est mon sang fidèle qui requiert fidélité
Protégeant mon orgueil nu contre
Moi-même et la superbe des races heureuses ...

Ich muß ihn verbergen zu innerst in meinen Adern
Den Ahn mit der Sturmhaut, der gefurchten von Blitz und Donner.
Mein Schutztier, ich muß es verbergen
Damit ich nicht zerbreche den Damm der Ärgernisse.
Er ist mein treues Blut, das Treue fordert
Und meinen nackten Stolz beschützt vor
Mir selber und dem Hochmut der glücklichen Rassen ...

Es ist kein Zufall, daß Senghor unter dem doppelten Zeichen
einer französischen und einer afrikanischen Überlieferung steht,
denn was hier in der poetischen Form faßbar wird, ist nichts
anderes als der Ausdruck eines geistigen Dualismus. Mit anderen Worten: das Doppelerlebnis Frankreichs und Afrikas
bestimmt nicht nur die Gestalt, sondern auch die Substanz
seiner Dichtung. Das Erlebnis Frankreichs, wie es vor allem

dem jungen Mann zuteil wurde, erhält vor dem Hintergrund der Erinnerung an die afrikanische Heimat und der Sehnsucht – dem Heimweh – nach ihr die besondere Ausprägung; anderseits bedarf die Wirklichkeit Afrikas und seiner Kultur der kontrapunktischen Gegenstimme der französischen Zivilisation, um eine neue und stärkere Aktualität zu gewinnen. Nicht mit exotischer «Volkslyrik» vor dem Sündenfall, das heißt vor dem Einbruch der modernen westlichen Zivilisation, haben wir es hier zu tun, sondern mit Dichtung, die in sich selber die Spannung und Auseinandersetzung mit dieser Zivilisation austrägt und erst aus einem solchen Widerstreit den Weg zurück ins Land der Geburt findet. Die Lyrik Senghors ist die Stimme der Selbstwerdung eines afrikanischen Menschen in der modernen Welt. So vernimmt der Dichter im «Garten Frankreichs» den «Ruf des Tam-Tams springend über Berge und Kontinente», im «ländlichen Herzen von Sin» will er «Europa vergessen», und wenn er als «Abgesandter des schwarzen Volkes» die Hauptstadt Paris betritt, so «dauert sein Aufenthalt kein Mondviertel lang». Was ihm Frankreich als Gegenstand der Zuneigung und des Ärgernisses in einem bedeutet, kommt vielleicht nirgends zwingender zum Ausdruck als in der *Prière de Paix* von 1945, in der er in fast Péguyschem Ton bittet: «Herr, von allen weißen Nationen setze Frankreich zur Rechten des Vaters», um fortzufahren: «Frankreich, das zwar den geraden Weg predigt, aber auf krummen Pfaden wandelt ... / Und aus meinem Zwischenstromland, aus meinem Kongo einen großen Friedhof unter der weißen Sonne gemacht hat.» Frankreich, Europa, der westlichen Zivilisation, die die Atombombe hervorgebracht hat, steht Afrika gegenüber als Symbol einer humaneren Zukunft: «Afrika ist zum weißen Stahl, zur schwarzen Hostie geworden / Auf daß die Hoffnung des Menschen lebe» (*An Gouverneur Eboué*). Hier zeigt sich, in welchem Maß die «Négritude» als geistiges Programm ein moralisches Anliegen einschließt.

Mythisch und zukunftsträchtig in einem, Land des Ursprungs und Ziel der Sehnsucht, ist Westafrika die eigentliche

«Hauptperson» dieser Dichtung, ein altersloses Land, in dem die Stämme und Fürsten vergangener Zeiten so gegenwärtig sind wie die Kämpfe des Heute. Zeitlos sind die Bräuche, mit denen der Neger der entscheidenden Augenblicke des Lebens umgibt, die Riten um Geburt, Einweihung, Liebe, Tod. Zeitlos ist die Landschaft: Flüsse, Urwälder, Savannen, Hügel, Meeresküsten. Dieses sichtbare Bild des Landes steht nie für sich allein; die Anschauung der Landschaft ist immer auch Anschauung des Menschen: «Vom Hügel aus sah ich, wie die Sonne in den Buchten deiner Augen unterging», «Dein Name gleicht der Savanne, die aufflammt unter der männlichen Brunst des Mittags», «Die Leidenschaften bliesen einen fahlroten Tornado in die Stacheln der Gummibäume». Aus einer unzerstörten Einheit der Sinne und der Seele bezieht der Dichter seinen unerschöpflichen Reichtum an Bildern, Symbolen und Metaphern. Immer neue Ereignisse werden aufgerufen: «Sieh, aus der Nacht taucht rein der steile Altar mit der Stirn aus Granit. / Dann die Linie seiner Brauen wie frischer Schatten von einem Kori. / Dem Pilger, der sich die Augen gewaschen, mit Fasten und Asche und Wachen / Erscheint im Sonnenaufgang auf höchstem Gipfel der Kopf des roten Löwen ...» Monoton, psalmodierend, aber auch mit jähen Tempowechseln, die wieder einmünden in die eindringlich-eintönige Melodie der Sprache, strömt ein ununterbrochener Fluß vorüber, dessen Oberfläche von glühender Vielfalt, dessen Tiefe von gleichmütiger Einheit ist. Eine zugleich fremde und vertraute poetische Welt zieht den Leser in ihren Bann.

Das Exotische gehört zu den Gedichten Senghors, aber nicht deswegen sind sie Kunstwerke, sondern aus der Kraft und Ursprünglichkeit ihrer Visionen, die sich in der Sprache verwirklichen. Die Botschaft Léopold Sédar Senghors ist die eines schwarzen Menschen, der dem Weißen gegenübertritt und kraft seiner Menschlichkeit den Anspruch an der gemeinsamen Zukunft anmeldet. Sein Anruf aber ist der Anruf eines Dichters. Botschaft und Anruf: beide gehen auch uns an, auf beide sollten wir hören.

Feuer und Asche

«Das Verhältnis der Poesie zum Leben ist dasjenige des Feuers zum Holz. Sie geht aus ihm hervor und verwandelt es. Einen Augenblick, einen kurzen Augenblick lang schmückt sie das Leben mit dem ganzen Zauber von Brand und Aufruhr. Poesie ist die feurigste und die am wenigsten genaue Form des Lebens. Dann – die Asche.» Diese Sätze schrieb der französische Dichter Pierre Reverdy, der am 21. Juni 1960 gestorben ist.

Daß Reverdy heute noch zumindest außerhalb Frankreichs zu den am wenigsten bekannten unter den großen Lyrikern der ersten Hälfte unseres Jahrhunderts gehört, ja vielleicht tatsächlich der Große Unbekannte unter ihnen ist, kann niemanden wundern, der sein Leben und Werk auch nur einigermaßen kennt. Selbst in Frankreich, wo seine Gestalt die Bewunderung so verschiedenartiger Geister wie André Breton und Jacques Maritain auf sich zog, steht im allgemeinen Bewußtsein sein Name durchaus im Schatten berühmterer Dichter wie Guillaume Apollinaire oder Paul Eluard. Pierre Reverdy hat zeit seines Lebens nicht nur nichts dafür getan, das Interesse einer gewissen Öffentlichkeit auf sich zu lenken, er hat sich jeder Art von Werbung sogar entschieden widersetzt, und zwar nicht aus Snobismus, sondern weil ihm alles Offizielle und nur Gesellschaftliche verhaßt war. Seinem Biographen Jean Rousselot schreibt er im Mai 1951 am Schluß eines Briefes, in dem er einige spärliche Hinweise auf seinen dichterischen Weg gibt: «Und jetzt, mein lieber Rousselot, mache ich, überflutet von Ekel, meinen Schalter zu. Ziehen Sie sich selbst aus der Sache.» Reverdy lebte damals schon seit langem völlig zurückgezogen auf dem Land, in der Nähe der Benediktinerabtei von Solesmes. Er war 1889 in Narbonne in Südfrankreich geboren worden, hatte Schulen in Toulouse und Narbonne besucht und war als Einundzwanzigjähriger nach Paris gegangen, wo er mit jungen Malern und Schriftstellern, darunter Picasso, Braque, Apollinaire und Max Jacob, Freundschaft geschlossen hatte. Nach dem Krieg begann er zu publizieren, auf eigene Rechnung und indem er sich selber als Buchgestalter betätigte; damals gab er auch eine eigene Zeitschrift *Nord-Sud* heraus. Für ihn waren das «die letzten Jahre vor der Sündflut» 1926 verließ er die Stadt und zog nach Solesmes, wo er 1960 gestorben ist. Sein lyrisches Werk liegt in mehreren Bänden, vor allem der Sammlung *Main d'œuvre*, vor; dazu kommen wichtige Aphorismenbücher wie *Le livre de mon bord* und *En vrac*. Kurz nach seinem Tod veröffentlichte die Zeitschrift *Entretiens* eine Pierre Reverdy gewidmete umfangreiche Sondernummer, deren zahlreiche Beiträge von der geheimen und gleichsam unterirdischen Wirkung des Dichters eindrückliches Zeugnis ablegen.

Das folgende Gedicht enthält im Kern alle wesentlichen Elemente der Lyrik Reverdys.

SON DE CLOCHE

Tout s'est éteint

Le vent passe en chantant

Et les arbres frissonnent

Les animaux sont morts

Il n'y a plus personne

Regarde

Les étoiles ont cessé de briller

La terre ne tourne plus

Une tête s'est inclinée

Les cheveux balayent la nuit

Le dernier clocher resté debout

Sonne minuit

GLOCKENKLANG

Alles erlosch

Mit Gesang geht der Wind entlang

Und die Bäume frösteln

Die Tiere sind tot

Kein Mensch ist mehr da
Schau hin
Die Sterne glänzen nicht mehr
Die Erde steht still
Ein Haupt neigt sich schwer
Die Haare fegen die Nacht
Der letzte Kirchturm der noch steht
Schlägt Mitternacht

Was ist hier realistisch und was nicht? Der Wind, die Bäume, ja der Kirchturm, der Mitternacht schlägt, passen in das Bild einer nächtlichen Landschaft – aber das geneigte Haupt und die Haare, die darüber hin flattern, verschieben die Perspektive, das reale Bild «stimmt» nicht mehr. Wir merken: verschiedene Wirklichkeiten sind hier ineinander geschoben, miteinander verknüpft: eine andere Wirklichkeit, nämlich eine seelische, soll mit diesen Stücken der sichtbaren beschworen werden. Und, kein Zweifel, sie wird es! Das Vordergründige – die Darstellung einer windbewegten nächtlichen Landschaft – wird hintergründig, wird zum Abbild der Endzeitlichkeit, in dem der Kirchturm, den man erblickt, der «letzte Kirchturm» sein muß, ihr Glockenschlag nur Mitternacht, das Ende der Zeit, anzeigen kann und die Erde stillsteht.

Vom Vordergrund in den Hintergrund, vom Sichtbaren ins Unsichtbare, von der einfachen in eine verwickelte Wirklichkeit – für all das gibt es auch einen andern Namen: vom Realen ins Surreale.

Surrealismus könnte hier also ein Stichwort sein. Reverdy sagt von sich: «Ich habe meine Poesie im Traum gefunden und in meiner Poesie die sicherste Unterstützung der Wirklichkeit.» Diesen Satz hätten die Surrealisten vermutlich unterschrieben – aber Reverdy hat sich aus ihren lyrischen Dogmen nicht viel gemacht. Das Diktat des Unbewußten, wie es die Surrealisten forderten, hat er nicht befürwortet. Im Gegenteil: Seine dichterische Sprache, so sehr sie stets das Ungewohnte und Unheimliche spiegelt, ist streng und zuchtvoll. Wir können sagen: Bei Reverdy betreten wir eine verfremdete Welt, über der ein Glanz später Klassik liegt:

LES FENÊTRES NUES DE L'EXIL

Dans le crépuscule des pentes
Au sous-pied des arbres du bois
Il ne se fait pas trop attendre
Un seul coup d'oeil
J'ai surpris le secret des sources
Dans cet asile de cercueil
A la ligne des temps mobiles
Ne pense à rien
Sous le peu qu'il avait à dire
Il a retenu le néant
Un dur hiver qui se dessine
Tendre la main
Et sur les portées du navire
Notes pures de l'agonie
L'amour la folie le délire
Vous comprenez que ce n'est rien

DIE NACKTEN FENSTER DES EXILS

In der Hänge Dämmerung
Unter Sohlen der Bäume im Holz
Läßt er nicht zu lang auf sich warten
Nur ein Blick draufhin
Ich hab überrascht das Geheimnis der Quellen
In diesem Sarg-Schutzhaus drin
Beweglicher Zeiten Alinea
Denk an nichts
Unter dem wenigen das er zu sagen hatte
Hielt er das Nichts zurück
Ein harter Winter kündet sich an
Die Hand streck aus
Und auf dem was er trägt der Lastenkahn

Des Todeskampfs reinen Ton
Die Liebe der Rausch und der irre Wahn
Ihr versteht ihr versteht es ist nichts

Ähnlich wie sein Leben trägt auch die Lyrik Reverdys das
Zeichen des Unspektakulären und Kompromißlosen. Sie
kommt dem Bedürfnis des Lesers auch darin nicht entgegen,
daß sie ihn nicht provoziert; sie ist nicht «interessant» und
vielleicht nicht einmal «erregend», sondern bietet sich dar als
eine in sich geschlossene poetische Welt von einheitlicher, fast
monotoner Struktur, in der die Schattierungen und Nuancen
viel wichtiger sind als alle «Faszination». Es gibt in ihr keine
eigentliche «Entwicklung»: die frühen sind von den späten
Gedichten kaum zu unterscheiden; nichts Blendendes ist da
und nichts Virtuoses, dafür allerdings ein diskretes sprachliches
Métier von seltener Differenziertheit. Daß die Gedichte Reverdys in Ton und Haltung so einheitlich sind, hängt damit
zusammen, daß für den Dichter nur wenige elementare Tatsachen des menschlichen Lebens zählen: die Begrenztheit
unserer Existenz im Physischen wie im Geistigen, das Faktum
des Todes, die Unerheblichkeit dessen, was wir Glück nennen.
Wenn wir das Bedürfnis, durch alle beruhigenden Konventionen hindurch die Welt in ihrer Unsicherheit und Brüchigkeit zu erkennen, als pessimistisch bezeichnen, ist das Grund-
gefühl Reverdys pessimistisch. Er spricht selber viel von dieser
Brüchigkeit, *de cette instabilité cosmique*, die für ihn noch offen-
sichtlicher geworden sei, seit sie mehr oder weniger von jedermann Besitz ergriffen habe. Aber die Wurzeln reichen weiter
zurück: Im Jahre 1907 fand in Narbonne ein Streik der Wein-
bauern statt, die Stadt wurde mit Truppen belegt und es kam
zu Schießereien, bei denen auf dem Rathausplatz «Wein, Blut
und Gehirn» durcheinanderflossen. Der Schock, den der Jüngling damals empfing, wirkte im Dichter weiter. Schreiben
wurde für Reverdy, mit seinen eigenen Worten, das einzige
Mittel, «den Kontakt mit der Welt zu bewahren, sich über
Wasser zu halten».

In *En vrac* lesen wir: «Wirklichkeit des Spiegels – die Wirklichkeit ist, insofern sie Spiegel ist. Das ist der Mensch. Aber wenn der Mensch verschwindet, bleibt die Erde, bleiben die unbelebten Dinge, die weglosen Steine. Wenn die Erde verschwindet, bleibt all das, was nicht die Erde ist. Und wenn all das, was nicht die Erde ist, verschwindet, bleibt das, was nicht verschwinden kann – man fragt sich übrigens, warum –, weil man es nicht einmal denken kann, und das ist zum Schluß die Wirklichkeit – so weit vom Geist und vom Spiegel des Menschen entfernt, daß er es nicht einmal denken kann.» Der Begriff der Wirklichkeit, der hier in einer eigentümlichen Perspektive – nicht eigentlich als Begriff, sondern als immer ferner rückender Fluchtpunkt – erscheint, durchzieht das ganze Werk Reverdys. Diese Wirklichkeit ist nicht eine Tatsache, sondern vielmehr ein Postulat oder eine Frage: Was ist Wirklichkeit? Und sie stellt sich dem Dichter als Problem: Wie, wenn ich ihr schon nicht habhaft werden kann, deute ich sie wenigstens an? Das Medium heißt, auf seinen einfachsten Nenner gebracht, *l'irréel*, das Unwirkliche. Realität und Irrealität stehen in einer dialektischen Beziehung: die Realität – die wirkliche Wirklichkeit – ist im Unwirklichen, aber das Unwirkliche kann wiederum nur mit den Mitteln unserer Wirklichkeit sichtbar gemacht werden, kann sich nur in den Dingen unserer täglichen Umwelt manifestieren: Haus, Fenster, Vogel, Glockenschlag ... Von diesen täglichen «selbstverständlichen» Dingen gehen die Gedichte Reverdys aus, aber bei ihnen bleiben sie nicht stehen, denn sie sind ja nur Medium. Deshalb löst sich im Gedicht die vorerst scheinbar «realistische» Welt immer wieder auf, setzt sich nach unvermuteten Gesetzen wieder zusammen oder zerfließt endgültig im Unsichtbaren. Verwandtes spiegelt sich ineinander, aber auch Vertrautes im Unvertrauten, Fremdes im Bekannten. Die Gedichte Reverdys sind von solch zarten Bezügen erfüllt, und ihre sprachliche, lautliche und rhythmische Form ist das genaue Korrelat dazu: über die Verszeilen spannt sich ein unendlich subtiles Netz von Reimen und Assonanzen, der regelmäßige Vers, oft der klassische Alexandriner, löst sich auf und setzt sich kaleidoskopisch wieder zusammen. Oft bricht das Fremde aber auch, vor allem an Gedichtschlüssen, jäh und hart ein: hintergründiges Lachen, ein Sturz, Vernichtung und Tod; das Gedicht fällt in das Nichts.

Les regards qui changent gehört zu den wenigen Stücken, in denen trotz aller Verzweiflung ein versöhnlicher Klang oder doch eine gedämpfte Hoffnung mitschwingt. Es ist in diesem Gedicht von menschlichen Beziehungen die Rede. Ein Mensch möchte den anderen treffen. Gelingt es ihm? Oder bleibt der Raum, vor dem er sich fürchtet, leer, läuft er an eine Mauer, an der alles endet? Das Lächeln, das am Schluß des Gedichts aus den zarten Andeutungen eines Ereignisses aufsteigt, ist wiederum kein Trost, aber es ist vielleicht das, was Reverdy in anderem Zusammenhang genannt hat: «ein reiner, von der Ewigkeit gelöster Tropfen Zeit».

LES REGARDS QUI CHANGENT

Vers quatre heures je serai là
Il passera certainement quelqu'un
Alors j'ouvrirai la porte

La porte s'ouvre comme un œil
Et je regarde à l'intérieur
J'ai trop peur pour entrer
Et je ne sais que dire

Les marches à monter
Jusqu'au palier obscur
Et là peut-être la chambre
Peut-être rien
Peut-être un mur

C'est qu'arrive le crépuscule
Je serai là et je t'attends
J'attends que passe une voiture
Qui emportera mon tourment

Et puis vers la prochaine gare
Je te suis nous irons plus loin
Enfin de la maison d'en face
On me regarde en souriant

DIE BLICKE DIE ÄNDERN

Ich werde gegen vier Uhr da sein
Bestimmt kommt jemand dann vorbei
Und ich werde die Türe öffnen

Es öffnet sich die Türe wie ein Auge
Ich schaue in das Innere hinein
Ich fürchte mich zu sehr um einzutreten
Und weiß nicht was ich sagen soll

Die Stufen aufzusteigen
Bis zu dem dunklen Flur
Und dort vielleicht ein Zimmer
Vielleicht gar nichts
Vielleicht eine Mauer nur

Denn weil die Dämmerung hereinbricht
Ich werde warten werde da sein
Ich warte daß ein Wagen kommt
Und daß er fortträgt meine Pein

Dem nächsten Bahnhof dann entgegen
Ich folge dir wir gehen weiter
Und endlich wird vom Hause drüben
Man lächelnd nach mir Ausschau halten

« . . . doch unausdeutbar bleibt das Stundenlied »

Es ist schon oft festgestellt worden, daß zu den häufigen Gegenständen der neueren Lyrik die Lyrik selber gehört – mit andern Worten: daß es in unserer Epoche besonders viele Gedichte gibt, die vom Dichten handeln. Man kann diese Tatsache negativ oder positiv bewerten. Gewiß spiegelt sich in ihr eine Unsicherheit, ist das Gedicht über das Gedicht Ausdruck nicht einer Gewißheit, sondern des Fragens. Aber gerade darin liegt auch der Versuch einer Klärung, einer Neuorientierung von innen her in einem bestimmten – wenn auch beschränkten – geistigen Raum, eben demjenigen des Gedichts. Die Ergebnisse – wenn wir überhaupt von Ergebnissen sprechen dürfen – können dabei sehr verschieden sein, ja sie müssen als Äußerungen nicht vertauschbarer Individualitäten verschieden sein. So wollen wir im folgenden unsere Aufmerksamkeit darauf richten, was uns von drei zeitgenössischen Gedichten jedes einzelne über das Gedicht Besonderes zu sagen hat.

Zuerst ein Stück von Gottfried Benn. Aus seinem berühmtesten Band *Statische Gedichte*, entstanden von 1937 bis 1947, stammen die Verse mit dem bezeichnenden Titel:

GEDICHTE

Im Namen dessen, der die Stunden spendet,
im Schicksal des Geschlechts, dem du gehört,
hast du fraglosen Aug's den Blick gewendet
in eine Stunde, die den Blick zerstört,
die Dinge dringen kalt in die Gesichte
und reißen sich der alten Bindung fort,
es gibt nur ein Begegnen: im Gedichte
die Dinge mystisch bannen durch das Wort.

Am Steingeröll der großen Weltruine,
dem Ölberg, wo die tiefste Seele litt,
vorbei am Posilipp der Anjouine,

dem Stauferblut und ihrem Racheschritt:
ein neues Kreuz, ein neues Hochgerichte,
doch eine Stätte ohne Blut und Strang,
sie schwört in Strophen, urteilt im Gedichte,
die Spindeln drehen still: die Parze sang.

Im Namen dessen, der die Stunden spendet,
erahnbar nur, wenn er vorüberzieht
an einem Schatten, der das Jahr vollendet,
doch unausdeutbar bleibt das Stundenlied –
ein Jahr am Steingeröll der Weltgeschichte,
Geröll der Himmel und Geröll der Macht,
und nun die Stunde, deine: im Gedichte
das Selbstgespräch des Leides und der Nacht.

Ich glaube nicht, daß derjenige, der das Gedicht von Gottfried Benn nur einmal gehört oder gelesen hat, seinen Inhalt wiedergeben könnte. Selbst bei wiederholter Lektüre bleibt dies schwierig, ja stellenweise unmöglich. Nicht eine begriffliche «Aussage» ist es, die uns vorerst ergreift, sondern der große Schwung der Verse und Strophen, der hymnische Anruf, der beschwörende Ton. Beschworen wird ein Namenloser, von dem es nur heißt, daß er «die Stunden spendet»; einzelne Bilder und Worte stürzen auf uns ein und setzen irrationale Gefühle in Bewegung: das Schicksal des Geschlechts, alte Bindungen, aus denen sich die Dinge fortreißen, das Steingeröll der großen Weltruine, Süditalien mit dem Gebirge Posilipp, das Herrschergeschlecht der Anjou, Stauferblut, das Lied der Parzen, und wieder Geröll und Stundenlied. Vergangenheit, Geschichte, Menschheitsschicksal erscheinen hier als Strom von Fragmenten; nicht als Ordnung und System, sondern als malerisches Chaos, als großartige Rumpelkammer. Zerstörung, Ruinen, Blut, Untergang bezeichnen diesen Weg. Steht dahinter ein Sinn? Der Dichter gibt die Antwort: «Doch unausdeutbar bleibt das Stundenlied.» Nur ein Einziges ist in diesem Dahinströmen fest und eindeutig, fast programmatisch auch in der Formulierung: «Es gibt nur ein Begegnen: im

Gedichte / die Dinge mystisch bannen durch das Wort.» Das Steingeröll der großen Weltruine dort, das Selbstgespräch des Leides und der Nacht im Gedicht hier. Kunst gegen das Chaos. Das Gedicht ist das Absolute, das einzige Absolute.

Es folgt ein Gedicht von Bertolt Brecht, der zur selben Generation gehört wie Benn, zur Generation, deren zentrale Erlebnisse Nationalsozialismus und Krieg sind. Brecht schrieb das Gedicht Ende der Dreißiger Jahre im Exil, während in Deutschland Hitler herrschte.

SCHLECHTE ZEIT FÜR LYRIK

Ich weiß doch: nur der Glückliche
Ist beliebt. Seine Stimme
Hört man gern. Sein Gesicht ist schön.

Der verkrüppelte Baum im Hof
Zeigt auf den schlechten Boden, aber
Die Vorübergehenden schimpfen ihn einen Krüppel
Doch mit Recht.

Die grünen Boote und die lustigen Segel des Sundes
Sehe ich nicht. Von allem
Sehe ich nur der Fischer rissiges Garnnetz.
Warum rede ich nur davon
Daß die vierzigjährige Häuslerin gekrümmt geht?
Die Brüste der Mädchen
Sind warm wie ehedem.

In meinem Lied ein Reim
Käme mir fast vor wie Übermut.

In mir streiten sich
Die Begeisterung über den blühenden Apfelbaum
Und das Entsetzen über die Reden des Anstreichers.
Aber nur das zweite
Drängt mich zum Schreibtisch.

Nichts mehr vom beschwörenden und bezaubernden Ton Benns. Das Gedicht zählt auf, stellt fest, scheinbar nur sachlich, mit zurückgenommener Stimme, aber eine starke Emotion zittert in ihr. An die Stelle der Faszination tritt die Konstatation. Was bei Benn wie Musik klang, wird hier knapp, trocken. Brecht sagt: «In meinem Lied ein Reim / Käme mir fast vor wie Übermut.» Auch Brecht weiß, was Glück und Schönheit sind, junge Mädchen und Apfelblüten. Aber er stellt sich gegen den Glücklichen, auf die Seite der gekrümmten Häuslerin und des verkrüppelten Baumes. Er nimmt Partei, sozial und politisch. Was ihn zum Schreiben drängt, ist das Entsetzen über Hitler. Die Spannung zwischen Idealität und Realität löst sich im Bekenntnis zum Gedicht als Waffe im Kampf um die Wahrheit, als moralische Waffe.

Und nun, als letztes, ein Gedicht aus dem 1960 erschienenen *Textbuch 1* von Helmut Heissenbüttel, eine Generation jünger als Benn und Brecht. Ich will dieses Gedicht nicht im strengen Sinn als Lyrik bezeichnen, aber es ist, ohne Zweifel, wesentlich auch eine Aussage über das Geschäft des Schriftstellers.

> *das Sagbare sagen*
> *das Erfahrbare erfahren*
> *das Entscheidbare entscheiden*
> *das Erreichbare erreichen*
> *das Wiederholbare wiederholen*
> *das Beendbare beenden*
>
> *das nicht Sagbare*
> *das nicht Erfahrbare*
> *das nicht Entscheidbare*
> *das nicht Erreichbare*
> *das nicht Wiederholbare*
> *das nicht Beendbare*
>
> *das nicht Beendbare nicht beenden*

Wenn bei Benn das Emotionale dominiert, es bei Brecht, obwohl gebändigt, vorhanden ist, so scheint es bei Heissenbüttel völlig abwesend. Seine Sprache ist formelhaft, verwandt der Sprache der Technik. Bestimmte Möglichkeiten des Denkens und Sagens werden nach einem Schema durchvariiert. Das Grundmotiv: Man kann oder soll tun, was möglich ist, aber was darüber hinausgeht, soll man bleiben lassen. Dem ist ein Satz des Philosophen Ludwig Wittgenstein zur Seite zu stellen: Wovon man nicht sprechen kann, darüber muß man schweigen. Das Gedicht wird hier eine Sprachübung am Rand des Schweigens. Zugleich ist es aber auch eine Aufforderung, sich nicht abzukapseln, offen zu bleiben: Man soll das nicht Beendbare nicht beenden.

Rufen wir nochmals in Erinnerung: Benn: Im Gedichte die Dinge mystisch bannen durch das Wort; Brecht: Das Entsetzen über die Reden des Anstreichers ... drängt mich zum Schreibtisch; Heissenbüttel: Das nicht Beendbare nicht beenden. Drei Aussagen über das Dichten. Sie stehen nicht im Widerspruch zueinander, sie ergänzen sich vielmehr. Dreimal erscheint das Gedicht in neuer Beleuchtung. Jedesmal wird etwas Wahres gesagt, vielleicht immer gerade dasjenige Stück der Wahrheit betont, das im betreffenden Augenblick besonders wichtig ist. Benn, Brecht, Heissenbüttel: jeder bezeichnet einen Augenblick im Leben der Literatur, einen Punkt, und wir können nicht voraussagen, zu welchem Muster sich die Punkte ordnen werden.

Literarische Grenzgänge

Das «Positive» und das «Negative»

Grundsätzliches anläßlich einer Kontroverse

Unter dem Titel *Die Zertrümmerer* veröffentlichte Paul Eggenberg in einer Berner Zeitung einen Artikel, der ein im Rahmen der «Expo 1964» durchgeführtes Podiumsgespräch über das Thema «Schweizerische Schriftsteller denken über die Zukunft unseres Landes nach» zum Anlaß nahm, das «grenzenlos anmaßende Gehabe» bestimmter jüngerer Autoren anzuprangern, die «ihre Aufgabe nur im Zertrümmern» sehen. Eggenberg sprach sicher nicht nur für sich allein, seine Verstimmung wird von vielen geteilt, und wer jene Berner Zeitung kennt, weiß auch, daß die Philippika Eggenbergs gegen «Destruktion und Zynismus» und sein Bekenntnis zu den «geistigen und kulturellen Werten» durchaus in ihrer Linie liegt. Das Problem verdient eine grundsätzliche Erörterung, kein Zweifel, aber es ist sehr viel komplexer, als es nach der simplifizierenden Argumentation eines Eggenberg den Anschein haben könnte. Die Scheidung der Böcke von den Schafen – dort «Nullpunktgefasel», hier «konstruktive Tat» –, wie er sie vornimmt, ist verdächtig. Versuchen wir zu differenzieren.

In der Ausgangslage steht Polemik gegen Polemik. «Angefangen» haben die jungen Autoren, die an der Expo über den schweizerischen Staat und unsere saturierte Gesellschaft schimpften und dafür plädierten, Tabula rasa zu machen (ich habe die Diskussion nicht mitgehört und stütze mich auf die Berichte). Ihnen hat man einen «Denkzettel» verabreicht – wiederum in polemischer Form. Polemiken sind oft nützlich, um Fragen deutlich herauszustellen. Zu ihrer Beantwortung sind sie schädlich. Ich schlage vor, im Gespräch um die «Alten» und die «Neuen», die «Konservativen» und die «Progressiven» auf den polemischen Ton zu verzichten. Im konkreten Fall: Warum hat man die jungen Herren in Lausanne nicht überlegen und sachlich beim Wort genommen, sie zum Beispiel eingeladen, eine Initiative zur Abschaffung der eidgenössischen Bundesverfassung zu lancieren? Wenn die «Nachwuchsautoren» wirklich so dumm dahergeredet haben, wie behauptet wird, wäre es gewiß nicht schwer gewesen, sie der Lächerlichkeit zu überführen. Warum «unausgesprochene Fragen auf den Gesichtern», wie Eggenberg berichtet, statt es auf eine politische Diskussion ankommen zu lassen? Das wäre realistisch gewesen. Es hätte sich dann wahrscheinlich auch gezeigt, wie wenig weit man mit ideologischen Schlagworten kommt. Statt dessen wird Ideologie gegen Ideologie gestellt, «Bekenntnis zur Freiheit» gegen «Nullpunktgefasel», Schlagworte gegen Schlagworte. Warum? Hat man vielleicht angesichts der Ausfälle der jungen Schriftsteller ein schlechtes Gewissen gehabt? Hat man befürchtet, sie könnten irgendwo doch ein wenig recht haben, und es könnte anders herum auch heißen «kritischer Liberalismus» gegen «positive Phrasen»?

Der Skeptizismus der jüngeren Generation hat seine guten Gründe. Nationalsozialismus und Faschismus sind im Namen einer «positiven Ideologie» und der «konstruktiven Tat» angetreten, und wohin sie geführt haben, wissen wir. Auch bei ihnen hieß es «Kampf gegen Destruktion und Zynismus». Begreiflich, daß mit diesem Vokabular vorderhand nicht mehr viel anzufangen ist; wenn Begriffe wie «Nation», «Volk», «Ideal», die einmal das Höchste bezeichnen konnten, in das genaue Gegenteil verkehrt und zu Synonymen von Mord und Verbrechen werden, darf man sich nicht wundern, wenn sich die nachfolgende Generation weigert, diese Begriffe unbesehen wieder in ihren ursprünglichen Stand einzusetzen. Das wäre von den gebrannten Kindern zu viel verlangt. Die Zeit mag manches heilen, aber Europa wird mehr als zwanzig Jahre brauchen, um dieses Gift zu verarbeiten.

Nicht akzeptabel aber ist die Haltung dessen, der tut, als ob nichts vorgefallen wäre. Das gilt auch für den schweizerischen Schriftsteller. Unser Staat hat zwar die Epoche des europäischen Rechtsextremismus scheinbar intakt überstanden. Nation und Volk dürfen bei uns bedeuten, was sie immer bedeutet haben.

Aber der ideologischen Ernüchterung der Nachkriegszeit können auch wir uns – soll man sagen: glücklicherweise? – nicht entziehen. Mit einiger Verspätung ist sie auch in der neutralen Schweiz wirksam geworden, und heute stehen wir mitten in einer Entwicklung, die uns zwingt, unsere geistigen Positionen neu zu überdenken. Und auch wenn die *Sache* für uns Bestand haben soll: das *Wort* ist in eine Zone des Zweifels gerückt. Es ist kein schlechtes Zeichen, wenn die Schriftsteller, das heißt diejenigen Leute, die mit der Sprache arbeiten, in diesen Belangen empfindlich sind. Die Empfindlichkeit mag manchmal sehr weit gehen, aber vergessen wir nicht, daß der deutschschweizerische Schriftsteller wohl oder übel mit einer Sprache arbeiten muß, die auch die Sprache des Hitlerreichs war, mit einer verratenen und geschändeten Sprache. Daran denken diejenigen, die von der «konstruktiven Tat» sprechen, sehr oft zu wenig.

Aber hat es überhaupt einen Sinn, «positive» gegen «negative» Autoren auszuspielen? Es hieße dies nichts anderes, als eine Frage der Literatur, das heißt der künstlerischen Qualität, auf eine ideologische Frage zu reduzieren. Ich halte das für den Weg des geringsten Widerstandes, für einen falschen Weg. Wenn irgendwo, dann sind in der Literatur die Unterscheidungen viel subtiler, die Wagnisse, sich für oder gegen etwas auszusprechen, viel größer als im Bereich der Ideologien. Der Ideologe urteilt *en bloc*, er ist ein «schrecklicher Vereinfacher». Umgang mit Literatur fordert in jedem einzelnen Fall den gedanklichen Neubeginn. Ist Franz Kafka ein «negativer Autor»? Aber vor einem solchen Menschen und einem solchen Werk reichen Begriffe wie positiv und negativ, modern und traditionell nicht aus, sie werden belanglos. Ist dagegen Hans Carossa ein «positiver Autor» (er ließ sich 1941 von Goebbels zum Präsidenten des «Europäischen Schriftstellerverbandes» ernennen), oder war es eine «konstruktive Tat», daß ein Wilhelm von Scholz im Jahre 1933 in einem offenen Schreiben an Romain Rolland erklärte, der nationalsozialistische Umsturz sei «eine gewaltige Volksbewegung», «ein Frühling und ein gebieterischer neuer Lebensdrang», zu dem er «ja» sage? Diese und hundert andere Beispiele lassen die Perversion einer bestimmten «positiven Literatur» erschreckend klar werden.

Halten wir wieder einmal fest: Literatur ist in der Sprache verwirklichte Welt. Unsere Sprache, wie unsere menschlichen Zustände überhaupt, durchlaufen seit längerer Zeit eine Krise. Wie lange diese andauern wird, wissen wir nicht. Wir wissen aber, daß auch in unserer Zeit und auch in der Sprache, die das Zeichen der Krise trägt, das literarische Kunstwerk möglich ist: Baudelaire, Mallarmé, Proust, Broch, Joyce, Kafka, Musil, Hofmannsthal und viele andere haben es gezeigt und zeigen es dem, der sie liest, jeden Tag neu. Das ist nicht eine Frage von Fortschritt oder Beharrung, sondern eine Frage des Ranges. In seiner künstlerischen Sprache wird der Schriftsteller für uns faßbar. Das gilt für die Großen wie für die Kleinen. Auch die Schwächen und Mängel, die Unehrlichkeiten und der Bluff werden in der Sprache durchsichtig. Wir brauchen den Schriftsteller nicht auf irgendwelche beiläufigen Äußerungen zu behaften: in seinem Werk können und sollen wir ihn «beim Wort nehmen». So einfach, wie es tönt, ist das freilich nicht. Aber man kann sich darin üben. Es ist eine Übung, die uns die Chance gibt, weiterzukommen. Sie macht es uns möglich, zu unterscheiden und zu erkennen. Und wenn wir das Glück haben, großen Werken zu begegnen, können wir an ihnen seelisch und intellektuell wachsen.

Ich könnte mir vorstellen, daß es keine schlechte Methode wäre, auftrumpfende «Nachwuchsautoren» beim Wort – das heißt bei ihrem Werk – zu nehmen und dafür ihren Gesprächsvoten etwas weniger Ehre zu erweisen. In dem, was sie als Schriftsteller wert sind, zeigt sich ihre Bedeutung als Diskussionspartner – nicht umgekehrt. Wenn ein Max Frisch über die Schweiz schimpft, kann ich damit einverstanden sein oder nicht, ernst nehmen muß ich ihn, weil er der Verfasser zum Beispiel des *Tagebuchs* ist. Wenn irgendein Jüngling bekanntgibt, mit dem Land, das ihm vielleicht immerhin eine Kindheit ohne Hunger und Krieg ermöglicht hat, sei schon gar nichts los, mag das seine private Meinung sein, aber sie ist für die Allgemeinheit unerheblich, solange dieser Jüngling nicht bewiesen hat, daß er mehr ist als eine sogenannte «literarische Hoffnung». An diesem Punkt wird man auch die Verärgerung mancher älterer Schriftsteller, wenn nicht billigen, so doch verstehen.

Es wird mit dem literarischen Nachwuchs heute in der Tat ein Kult getrieben, der gelegentlich lächerlich wirkt. Nur: wenn man gegen die jungen «Zertrümmerer» so zornig vom Leder zieht, wie Eggenberg es tut, fällt man dieser Überschätzung selber zum Opfer. Ich weiß nicht, wie weit es bei der Expo-Diskussion um Äußerungen echter Besorgnis über die Saturiertheit unserer Gesellschaft ging, und wie weit bloß um patziges Gerede und Wichtigtuerei. Beides ist möglich, und selten ist das eine vom andern ganz zu trennen. Aber wir sollten nicht überall den Teufel wittern – manchmal liegt es an viel einfacheren Dingen, am Niveau, an der Unfähigkeit zur Selbstkritik oder auch nur an der Kinderstube.

Natürlich hat, so gut wie das Mißtrauen der Jüngeren, auch die Verstimmung vieler älterer Herren ihre guten Gründe. In manchen Kreisen sind kritische Widerborstigkeit und Nonkonformismus längst zur literarischen Mode und zum Zeichen eines neuen Konformismus geworden. Die Stilgebärde des «schönen Wortes» wird ersetzt durch die Stilgebärde der Verneinung. Es sind allemal die schwächeren Geister gewesen, die sich den «Ausdruckszwängen» der Mode am leichtesten angepaßt haben. Aber daß das auch heute so ist, darf niemandem das Recht geben, im Namen des «positiven Menschentums», oder wie immer man das nennen mag, literarische Kurzwaren als große und wirkliche Kunst herauszustellen. Es gibt einen gängigen, einen sozusagen kommerziellen «Nihilismus» der modernen Literatur, den man mit Recht als bloße Mache entlarvt, aber es gibt auch, immer noch und immer wieder, den kommerziellen Idealismus, die «positive Literatur» von der Stange, die «voreilige Versöhnung» in pseudo-klassischer oder biedermännisch-romantischer Verkleidung. Ich weiß wirklich nicht, welches von beiden schlimmer ist. Darauf kommt es auch nicht an. Interessant bleibt nur, daß beide ihre künstlerische Schwäche mit ideologischen Argumenten tarnen. Aber Kunst hat keine Ideologie nötig. Die Alternative «Idealist oder Nihilist» verstellt den wahren Sachverhalt. Die Wirklichkeit ist anders als das Schema: Verzweiflung und Glaube, Zerstörung und Aufbau durchdringen sich auf geheimnisvolle und oft unbegreifliche Weise. Im Umgang mit der Literatur wie im Umgang mit dem Mitmenschen kommen wir glücklicherweise nicht darum herum, uns immer mit dem Einzelnen, dem Individuellen, zu beschäftigen. Vom Einzelnen zum Einzelnen: eine Gratwanderung. Aber sie ist dem ideologischen Stellungskrieg vorzuziehen.

Literatur und Tradition

Das lateinische Substantiv *traditio*, dem unsere «Tradition» entspricht, gehört zum Verbum *tradere* oder *trans-dere*, was genau «übergeben» heißt, und zwar zunächst in einem ganz handgreiflichen Sinn: *quaestoribus pecuniam tradere*, den Finanzbeamten Geld übergeben. Um diese Grundbedeutung ordnen sich Ableitungen verschiedenen Grades, wie: einhändigen, überbringen, preisgeben, hinterlassen, mitteilen, überliefern, lehren. So bedeutet auch *traditio* in erster Linie die «Übergabe» – etwa einer Festung –; dann, in übertragenem Sinn, die Übergabe oder Wiedergabe einer Sache durch Worte, also der Bericht, die Unterrichtung, der Vortrag, schließlich auch eine überlieferte Anschauung und die Überlieferung als Summe solcher Anschauungen. Im Bereich der Religionswissenschaft hat das Wort «Tradition» – das im Deutschen nur allmählich heimisch geworden ist –, bis heute den Charakter eines Fachausdrucks bewahrt. Zu «Tradition» wurde «Traditionalismus» gebildet, wiederum ein Ausdruck der Theologie, der eine gegen den Rationalismus der Aufklärung gerichtete autoritätsgläubige Haltung bezeichnet. In dieser Form erinnert der Begriff an geistige Unfreiheit und reaktionäre Gesinnung und bekommt damit für die meisten einen negativen Beigeschmack.

Dies beschränkt sich nun aber keineswegs auf die Theologie. Wir erleben, wie das Wort und der Begriff der Tradition im 20. Jahrhundert sich mit negativem Gehalt füllen, wir erleben es gerade in der Literatur, und vor allem in der deutschen. Eine solche Verteufelung der Tradition geschieht üblicherweise im Namen des Fortschritts, der Modernität, der Zeitgenossenschaft, des Neuen und Interessanten, meist unter Berufung auf die gewaltige technische Entwicklung unserer Zivilisation und auf die Veränderung der Gesellschaft, in der wir leben – als ob nicht gerade die moderne Technik selber das Erzeugnis einer gewaltigen Tradition wäre. Auf der andern Seite aber wird Tradition zum Schlagwort im Kampf gegen die Ausdrucksformen der zeitgenössischen Kunst und Literatur, gegen «Avantgardismus» und «Verlust der Mitte», in einem Kampf also, dem das Mißbehagen gegenüber dem Weg unserer Zivilisation zugrunde liegt und meist auch die Sehnsucht nach den Verhältnissen früherer Zeiten, von denen man annimmt, sie seien leichter überschaubar gewesen.

Das ist alles nicht so neu, wie man oft glaubt. In den *Zahmen Xenien* markiert Goethe den extremen Standpunkt des «Modernisten» mit folgenden Versen:

> *Das ist doch nur der alte Dreck;*
> *Werdet doch gescheiter!*
> *Tretet nicht immer denselben Fleck,*
> *So geht doch weiter!*

Ähnliche Aufforderungen vernehmen wir in unserer Zeit zur Genüge. Aber sind wir auch noch empfänglich für jenes andere Wort Goethes aus dem *West-östlichen Divan:*

> *Wer nicht von dreitausend Jahren*
> *Sich weiß Rechenschaft zu geben,*
> *Bleib im Dunkel unerfahren,*
> *Mag von Tag zu Tage leben.*

Der Anfang des Gedichts, zu dem diese Verse gehören, lautet:

> *Und wer franzet oder britet,*
> *Italienert oder teutschet:*
> *Einer will nur wie der andre,*
> *Was die Eigenliebe heischet.*

Das heißt: Nachahmung ausländischer oder nationaler Moden ist kaum etwas anderes als Ausdruck der Selbstsucht und Eitelkeit. Der Tradition – dem wirklichen Geschichtsbewußtsein, das sich auf Jahrtausende menschlicher Kultur bezieht –, steht die bloße Mode gegenüber, die eine verkümmerte, weil nur auf die Gegenwart und unmittelbare Vergangenheit bezogene, Form der Tradition darstellt. Dazu sagt Goethe in den *Maximen und Reflexionen:*

«Was man Mode heißt, ist augenblickliche Überlieferung. Alle Überlieferung führt eine gewisse Notwendigkeit mit sich, sich ihr gleichzutun.»

Nun spricht Goethe in denselben *Maximen und Reflexionen* auch von der «furchtbaren Last», «welche die Überlieferung von mehreren tausend Jahren auf uns gewälzt hat». Und eine Stelle aus dem Jahre 1820 lautet:

«Wer bloß mit dem Vergangenen sich beschäftigt, kommt zuletzt in Gefahr, das Entschlafene, für uns mumienhaft Vertrocknete an sein Herz zu schließen. Eben dieses Festhalten aber am Abgeschiedenen bringt jederzeit einen revolutionären Übergang hervor, wo das vorstrebende Neue nicht länger zurückzudrängen, nicht zu bändigen ist, so daß es sich vom Alten losreißt, dessen Vorzüge nicht anerkennen, dessen Vorteile nicht mehr benutzen will.»

Ich wüßte nicht, wo die Vorgänge, die sich in der Literatur und Kunst seit etwa 1900, zum Teil auch schon früher, abgespielt haben, treffender analysiert worden wären als hier, Jahrzehnte vor Baudelaire, ein halbes Jahrhundert vor Rimbaud und Mallarmé, ein Jahrhundert vor Dadaismus und Surrealismus, fast anderthalb Jahrhunderte vor dem *nouveau roman*. Das Problem der Tradition stellt sich nicht erst unserer Zeit. In den *Neuen Fragmenten* von Novalis findet sich der Satz: «Der Mensch hat den Staat zum Polster der Trägheit zu machen gesucht – und doch soll der Staat gerade das Gegenteil sein.» Was Novalis hier vom Staat sagt, läßt sich genau auf das Verhältnis des Menschen zur Tradition übertragen. Dieses Verhältnis ist zwiefach, und gelegentlich auch zweideutig. Auf der einen Seite bedeutet Tradition eine schöpferische Verpflichtung, auf der andern aber einen Ersatz für Schöpferisches, das verlorengegangen ist, ein bloßes Surrogat. Aber so wahr es ist, daß der Aufguß von einem solchen Surrogat fad schmeckt und keine Nährkraft hat, so wahr ist es auch, daß in der europäischen – und nicht nur in der europäischen – Kultur Bedeutendes und in die Zukunft Weisendes immer wieder dadurch entstand, daß Vergangenheit wiederentdeckt und schöpferisch verwandelt wurde. Carl J. Burckhardt schrieb im Jahre 1922 an Hugo von Hofmannsthal:

«Rückkehr gibt es keine, nichts Verlorenes wird jemals zurückgewonnen, aber wer treu bleibt und wer es aushält, allein zu sein, der aufersteht vielleicht einmal in sehr fernen Zeiten. Das ist das Geheimnis aller Renaissancen. Vielleicht wird das Saatkorn nach schweren Niederlagen und Verherungen im tief durchpflügten Boden einmal wieder aufgehen.»

Tradition als Auftrag und Tradition als «Polster der Trägheit»: hier liegt ein wirklicher Gegensatz, wirklicher als der so oft zitierte zwischen Tradition und Revolution, der in Wahrheit gar kein Gegensatz ist. Denn auch die Revolution hat Tradition und ist Tradition. Sie gehört als geistige, gesellschaftliche und künstlerische Bewegung des Umsturzes, des Widerstands und der Auflehnung in eine ihr eigene geschichtliche Überlieferung der Revolution. Das zeigt sich besonders schön in Frankreich, dem Land der großen Revolutionen von 1789, 1830, 1848, wo das revolutionäre Element nicht nur in der Geschichte, sondern auch in der Literatur eine Konstante bildet. Anders in Deutschland. Hier kann man so wenig im Literarischen wie im Politischen von einer revolutionären Tradition sprechen, und hier bezeichnet das Jahr 1848 nicht den Sieg des Liberalismus, sondern dessen Niederlage. Eine echte konservative, das heißt eine auf die Bewahrung des Überlieferten gerichtete Gesinnung ist aber nur im Spannungsverhältnis zum Revolutionären möglich. Wo dieses fehlt, zerstört sich auch jene oder wird zum bloßen Sektierertum. Es ist kein Zufall, daß Frankreich, das Land der Revolutionen, auch das Land einer intakten literarischen Tradition ist, Deutschland aber, das selber an der Revolution der modernen Literatur primär kaum beteiligt war, zwar einzelne bedeutende und auch überragende Gestalten, im Ganzen seiner Literatur, wie in seiner politischen Geschichte, keine Kontinuität, keine Tradition besitzt.

Man weiß, wieviel in der Bundesrepublik für moderne Kunst, für die «Literatur von morgen» getan wird. Zeitungen und Zeitschriften, Industrie und Verlage, Rundfunk und neuerdings sogar Hochschulen sind für Aktualität und Internationalität mehr als aufgeschlossen. Aber all diese Anstrengungen haben etwas Gequältes. Die Intellektuellen, die sich selber als «heimatlose Linke» verstehen, kämpfen – so hat man sehr oft den Eindruck – mit dem Rücken gegen die Wand. Für den Durchschnittsbürger bleibt aller Avantgardismus eine ärgerliche Angelegenheit von Spezialisten. Er – der Durchschnittsbürger – hält sich *in litteris* an das, was er unter Tradition versteht und was sehr häufig nichts anderes ist als schwächliche Konvention und Vorspiegelung einer heilen Welt, wo doch diese Welt alles andere als heil ist. Hier wird das Wort vom Polster der Trägheit auf eine bedrückende Weise wahr. Helmut Heissenbüttel, der mit seinen Sprachexperimenten für die jüngere Generation in Deutschland schulbildend wirkt, fragte sich neulich in einem Aufsatz «ob all das, was an Neuem, auch Fremdem, an nie vorher Gesagtem, Unerhörtem, Utopischem in der Dichtung dieser Moderne gesagt worden ist, in den Wind gesprochen wurde, Strohfeuer vor einer überall weiterwuchernden, zähflüssig sich überallhin verbreitenden Restauration». Ich habe nicht den Eindruck, die Sorge Heissenbüttels sei berechtigt. Aber seine Frage zeigt die ideologischen Fronten, die sich gebildet haben. Echtes literarisches Leben ist in einer solchen Atmosphäre nicht möglich, es sei denn als Betriebsamkeit von progressiven oder reaktionären Sekten ohne Zusammenhang mit dem Ganzen der Gesellschaft und der Nation.

Daß es in Deutschland so weit gekommen ist, gehört in eine Entwicklung, deren Wurzeln weit zurückreichen und die im Nationalsozialismus und seiner «offiziellen deutschen Kultur» ihre giftigen Früchte getragen hat. Ich zitiere aus dem Buch *Spießer-Ideologie. Von der Zerstörung des deutschen Geistes im 19. und 20. Jahrhundert* von Hermann Glaser: «Das nationale Unglück beruhte auf der Tatsache, daß die Elemente der deutschen Kultur (im besondern ... der Klassik und Romantik) pervertiert, ver-kehrt, ins Gegenteil gekehrt und dabei nominal beibehalten wurden. Es blieben Wortkadaver, die ihres Wahrheitsgehalts beraubt waren und nun mit Ressentiments ausgestopft wurden. Kultur wurde zur Fassade, der Logos (das Wort, die sinnvolle Rede und die Vernunft überhaupt) zerstört und durch einen wirren Mythos ersetzt, der selber bereits eine Fehlinterpretation des Wortes Mythos darstellte.» Das sah dann etwa so aus: «Fichte als NS-Professor, Menzel als neudeutscher Studentenführer, Jahn als Reichssportführer, aber auch Hitler als Gartenlaubenautor oder Rassen-Ganghofer, Rosenberg als Wagner-Epigone, Goebbels als eine Art Wilhelm II. ... Kultur ist Farce – die ‹Dichter und Denker› werden wichtiges propagandistisches Material in der Hand der ‹Richter und Henker› ...» Theodor W. Adorno hat es so formuliert: «Der Faschismus war nicht bloß die Verschwörung, die er auch war, sondern entsprang einer mächtigen gesellschaftlichen Entwicklungstendenz. Die Sprache gewährt ihm Asyl; in ihr äußert das fortschwelende Unheil sich so, als wäre es das Heil.» Dazu ein einziges schreckliches Beispiel. In den Aufzeichnungen, die er im Gefängnis verfaßte, beschreibt Rudolf Höß, der Kommandant des Vernichtungslagers Auschwitz, den Beginn der Massenmorde in der Nähe des Auschwitzer Landwirtschaftsbetriebs. Da steht: «Im Frühjahr 1942 gingen Hunderte von blühenden Menschen unter den blühenden Obstbäumen des Bauerngehöftes, meist nichtsahnend, in die Gaskammern, in den Tod. Dies Bild vom Werden und Vergehen steht mir auch jetzt noch genau vor den Augen.» Das pseudo-poetische «Bild vom Werden und Vergehen» hier, in diesem Zusammenhang: das ist Pervertierung der Sprache in ihrer grauenvollsten Form.

Von solchen Voraussetzungen mußte der deutsche Autor des Jahres 1945 ausgehen. So entstand die «Kahlschlagliteratur» der ersten Nachkriegszeit. Aber die Niederlage des deutschen Geistes ist nach 1945 nicht genügend analysiert worden. Die eilig einsetzende Restauration griff allzu bedenkenlos auf die alten Formen und Formeln zurück: positiv und aufbauend, volkhaft und bodenständig, heldisch und traditionsverbunden. Es sei am Rande nur angemerkt, daß auch in unserem Land die entsprechende Klärung noch weitgehend aussteht, zum Beispiel die Auseinandersetzung mit der ganzen Ausdruckwelt der sogenannten «Geistigen Landesverteidigung». Aber vor der voreiligen Versöhnung, wie sie überall angeboten wird, schreckt der wache Verstand zurück. Auf die Vorspiegelung einer intakten Überlieferung reagiert er ablehnend, unter Umständen polemisch oder zynisch, wenn er weiß, daß diese Überlieferung zuschanden geritten worden ist. Und nun fällt er ins andere Extrem, verneint Tradition an sich, Originalitätssucht und literarische Tagesmode werden für ihn zum intellektuellen Alibi, mit dem er sich selber beweisen will, daß er an der Wiedereinsetzung «positiver», idyllischer und völkischer Phrasen in den Rang literarischen Ausdrucks unschuldig ist – und dabei übersieht, wieviele Phrasen «avantgardistischer» Banalität er auf der andern Seite unbekümmert zu sich hereinläßt.

Originalität und Tradition: hier sind wir wieder einem falschen Gegensatz auf der Spur, ganz ähnlich wie bei Revolution und Tradition. Ich zitiere aus dem grundlegenden Buch *Theorie der Literatur* der amerikanischen Literaturwissenschafter René Wellek und Austin Warren:

«Der Begriff der Originalität wird heute leicht falsch verstanden und als bloßer Bruch mit der Tradition aufgefaßt; oder man sucht danach an falscher Stelle, im bloßen Stoff des Kunstwerks oder in seinem bloßen Gerüst, der traditionellen Handlung, dem konventionellen Rahmen. Frühere Zeiten bewiesen ein gesünderes Verständnis des Wesens einer literarischen Schöpfung; sie erkannten, daß der künstlerische Wert einer lediglich originalen Handlung oder eines Stoffes nur gering war. Die Renaissance und der Klassizismus maßen zu Recht dem Übersetzen große Bedeutung zu, ferner auch der ‹Nachahmung› ... Innerhalb einer gegebenen Tradition zu arbeiten und ihre Techniken zu übernehmen, ist durchaus mit Kraft des Gefühls und künstlerischem Wert vereinbar. Die wirklichen kritischen Probleme dieser Art Untersuchungen tauchen erst dann auf, wenn die Stufe des Abwägens und Vergleichens erreicht ist ...»

Was die beiden amerikanischen Autoren hier in klarer wissenschaftlicher Prosa grundsätzlich darlegen, hat ein deutscher Gelehrter, Ernst Robert Curtius, in einem großen Werk im einzelnen gezeigt. Das Buch ist 1948 zum erstenmal erschienen und bezeugte mitten in der Kahlschlagsituation der Nachkriegszeit die Tradition der europäischen Literatur, wie sie sich über zwei Jahrtausende in der lateinischen Bildung fortgesetzt, gewandelt, erschöpft und erneuert hat. Diesem Buch – *Europäische Literatur und lateinisches Mittelalter* – ist eine Stelle aus Goethes *Italienischer Reise* zur Seite zu stellen. Unterm Datum des 8. Dezember 1787 finden wir die folgende Eintragung:

«Es ist weit mehr Positives, das heißt *Lehrbares* und *Überlieferbares* in der Kunst, als man gewöhnlich glaubt; und der mechanischen Vorteile, wodurch man die geistigen Effekte – versteht sich, immer mit Geist – hervorbringen kann, sind sehr viele. Wenn man diese kleinen Kunstgriffe weiß, ist vieles ein Spiel, was nach wunder was aussieht, und nirgends glaub' ich, daß man mehr lernen kann, in Hohem und Niedrem, als in Rom.»

Es ist kein Zufall, daß diese Sätze, die sich auf eine überraschende Weise auch auf das «Lehrbare und Überlieferbare» der modernen Literatur beziehen lassen, in Rom geschrieben wurden. Der Blick auf die lateinische Zivilisation und Kultur zeigt uns deutlicher als irgend etwas anderes, was es mit wirklicher Tradition auf sich hat. Bei Ernst Robert Curtius wird diese lateinische Tradition als gewaltiger Strom mit unzähligen Verzweigungen, Nebenarmen, Sandbänken und Stromschnellen sichtbar. Es ist der Lebensstrom Europas, ohne den auch unsere Gegenwart eine Wüste wäre.

Echte Tradition und falsche Tradition stehen sich gegenüber. Die Aufgabe, sie voneinander zu unterscheiden, läßt sich nur in jedem einzelnen Fall, in jedem literarischen Werk neu lösen. Das Bewußtsein echter Tradition rettete sich nach dem Krieg in die philologische Fachwissenschaft. Die Literatur selber mußte sich mit dem Schutt falscher Tradition auseinandersetzen, mußte die Trümmer wegräumen, Übersicht und Klarheit schaffen. Jean-Paul Sartre schreibt in seinem 1947 veröffentlichten Essay *Was ist Literatur?*:

«Wollten wir unser Leben mit Kritik vertun – wer könnte uns einen Vorwurf daraus machen? Die Aufgabe der Kritik ist total geworden, sie bindet den ganzen Menschen. Im 18. Jahrhundert wurde das Werkzeug geschmiedet; die einfache Anwendung der analytischen Vernunft genügte, um die Begriffe zu reinigen; heute muß man sie reinigen und vervollständigen, muß bis zur Vervollkommnung der Begriffe vordringen, denn die Begriffe sind verfälscht worden ... Ich sehe überall veraltete Formeln, Vertuschungen, unaufrichtige Kompromisse, verjährte und hastig wieder aufgemöbelte Mythen. Hätten wir nichts getan, als nacheinander alle diese Luftblasen zum Platzen zu bringen – wir hätten unsere Leser wohl verdient.»

Aufgemöbelte Mythen: das sind unaufrichtige Idyllen, verstiegenes Nationalgefühl, verlogene Ewigkeitsansprüche. Wenn Josef von Eichendorff von der Poesie sagt, sie sei «die indirekte, d. h. sinnliche Darstellung des Ewigen und immer und überall Bedeutenden, welches auch jederzeit das Schöne ist, das verhüllt das Irdische durchschimmert», so ist das der Ausdruck eines wahrhaften Glaubens. Aber wenn im Nachwort zu einer – 1963 erschienenen! – Neuausgabe der Erzählungen des nazistischen Schriftstellers Will Vesper gesagt wird, der Autor lasse «fern jeder Anarchie! – das Ordentliche, Maß, Ziel, Ordnung und Glauben an Gottes Allmacht keine Sekunde lang außer Betracht», so sind es Phrasen und Lüge. Es ist heute nicht mehr möglich, unreflektiert, das heißt bedenkenlos, von Christlichem Abendland, positivem Menschentum und von Überlieferung zu sprechen. Je ernster es einem mit der Sache ist, desto mißtrauischer wird man gegenüber einer bestimmten Phraseologie, hinter der sich alles, auch das Unmenschliche, verbergen kann.

Die Literatur braucht Revolutionäre und Nonkonformisten, sie braucht Widerspruch und Provokation. Sonst verkalkt sie.

Sie braucht Autoren, die kritisch sind – aber nicht nur kritisch gegenüber der Gesellschaft und ihren Götzen, sondern auch gegenüber sich selber. Doch das allein genügt nicht. In seiner 1944 gehaltenen Rede *Was ist ein Klassiker?* sagte T. S. Eliot:

«In unserer Zeit, wo die Menschen mit immer größerer Vorliebe Weisheit mit Wissen und Wissen mit Informiertheit verwechseln und Lebensfragen mit den Mitteln einer technisch-mechanischen Begriffswelt zu lösen suchen, entsteht allgemach eine neue Art des Provinziellen, der man vielleicht schicklicherweise einen anderen Namen geben sollte. Es ist eine Provinzialität nicht des Raumes, sondern der Zeit; eine Provinzlerhaftigkeit, für die die Geschichte nichts weiter ist als eine Chronik menschlicher Planungen, die der Reihe nach ihre Schuldhaftigkeit getan haben und dann zum alten Eisen geworfen worden sind; eine Provinzlergesinnung, der zufolge die Welt ausschließlich den Lebenden gehört, während die Toten keinen Anteil an ihr haben. Das Gefährliche dieser Art Provinzialität besteht darin, daß wir alle zusammen, sämtliche Völker des Erdballs, zu Provinzlern werden können; wem es nicht paßt, provinziell zu sein, der kann nur noch Einsiedler werden.»

In George Orwells Roman *1984*, der das Bild eines totalen Staates zeichnet, wird der Beamte Winston Smith, welcher an der absoluten Wahrheit dessen, was dieser Staat verkündet, Zweifel geäußert hat, im «Wahrheitsministerium» gefangen gesetzt. Dieses Ministerium ist nichts anderes als ein überdimensionierter Gestapo-Kerker, wo ein Mann namens O'Brien mit furchtbaren Torturen den Willen und das eigene Denken Winstons bricht, um ihn zum gefügigen Werkzeug der Partei zu machen. Dabei fallen die folgenden Worte:

«Wer die Vergangenheit kontrolliert, der kontrolliert die Zukunft; wer die Gegenwart kontrolliert, der kontrolliert die Vergangenheit ...» «Wir die Partei, kontrollieren alle Aufzeichnungen, und wir kontrollieren alle Erinnerungen. Demnach kontrollieren wir die Vergangenheit ...» «Was immer die Partei für Wahrheit hält, *ist* Wahrheit. Es ist unmöglich, die

Wirklichkeit anders als durch die Augen der Partei zu sehen. Diese Tatsache müssen Sie wieder lernen, Winston. Dazu bedarf es eines Aktes der Selbstaufgabe, eines Willensaufwandes. Sie müssen sich demütigen, ehe Sie geistig gesund werden können.»

Das Problem, das von Eliot und Orwell auf ganz verschiedene Art aufgeworfen wird, ist dasjenige des menschlichen Geschichtsbewußtseins. Es geht um die Verkümmerung des historischen Denkens. Für Eliot ergibt sich daraus eine zwar unerfreuliche, aber doch noch verhältnismäßig harmlose Provinzlerhaftigkeit. Orwell aber enthüllt die gleichgeschaltete Geschichte als Werkzeug des Totalitarismus. Gleichgeschaltet: das heißt, daß alles Vergangene nur noch auf das Heutige, Momentane, nur noch auf einen bestimmten Punkt der Gegenwart bezogen ist, den irgendeine Macht mit Leichtigkeit kontrollieren kann. Es heißt, daß alle Geschichte relativ geworden ist, weil sich die Gegenwart als absolut betrachtet. Von solcher Selbstvergötzung können wir nur dann verschont bleiben, wenn uns die Vergangenheit als Partner gegenübertritt, an dem auch wir uns messen müssen. So darf auch die Literatur, wenn sie im ganzen der Kultur ihre Funktion behalten soll, auf ihre Geschichtlichkeit nicht verzichten. Der geschichtliche Aspekt der Literatur aber ist die Tradition, mit einem Wort von Curtius, «das Medium, in dem der europäische Geist sich seiner selbst über Jahrtausende hinweg versichert». In der heutigen Situation – auch diese Formulierung übernehmen wir von Curtius – «gibt es kein dringenderes Anliegen als Wiederherstellung der ‹Erinnerung›». Und wir fügen bei: eben derjenigen Erinnerung, die das totalitäre System dem «Gedankenloch» der Vernichtung überantworten will, damit es total sein kann.

So verstandene Tradition ist in höchstem Grade verbindlich. Sie ist, um den Ausdruck des Novalis aufzunehmen, nicht «Polster der Trägheit», sondern das genaue Gegenteil: Anlaß zu unablässiger Selbstprüfung. Eine Literatur, die sich darauf beschränkt, «progressiv» zu sein, die die Forderung nach Aktualität zum einzigen Maßstab erhebt und sich als Avantgarde in Permanenz gibt, erhebt eine Forderung zum Absolutum, die nur dann einen Sinn hat, wenn sie in einem größeren Ganzen steht. Die Landschaft der Literatur ist weit und viel reicher, als man aus dem ideologischen Gesichtswinkel vermeint; sie hat Höhen und Tiefen, Ebenen und Experimentierfelder und unvermutete Abgründe, aber auch Ströme und Bäche der Überlieferung, die sie durchziehen. Wir haben einzusehen gelernt, daß es gesunde und daß es kranke Gewässer gibt. Sie können die Landschaft befruchten, aber sie können sie auch vergiften. Entbehren können wir sie nicht. Sollte der Schutz und die Reinigung der Gewässer nicht auch in der Literatur eine wichtige und vielleicht lebensnotwendige Aufgabe sein? Auch in einer Zeit wie der unseren, die es sich zur Aufgabe machen muß, das Überlieferte, das «Schöne, Alte und Wahre» einer kritischen Sichtung zu unterziehen, darf das Bewußtsein dessen, was wir empfangen haben, nicht verschwinden. Und wenn wir die Tradition den Forderungen der Gegenwart gegenüberstellen, so dürfen wir nicht vergessen, daß auch wir uns einmal dem Gericht der Geschichte zu stellen haben.

Für den Einzelnen aber kann es weder in der einen noch in der andern Richtung Patentlösungen geben. Tradition und Fortschritt bezeichnen Allgemeines und im schlimmeren Fall sogar Ideologisches. Im konkreten literarischen Werk aber haben wir es mit individuellen Dingen zu tun. Wir müssen es schon dem Temperament eines jeden Schriftstellers überlassen und dem Gesetz, nach dem er angetreten ist, was für ihn – individuell – wichtiger ist und wie er in der Spannung, in der dialektischen Auseinandersetzung zwischen dem Überlieferten und dem Kommenden, zwischen Geborgenheit und Gefährdung, Bejahung und Kritik sich und seine Welt in den Griff bekommen kann. Dazu sei noch einmal Goethe zitiert, und zwar eine Stelle aus der *Geschichte der Farbenlehre*.

«Wir stehen mit der Überlieferung beständig im Kampfe, und jene Forderung, daß wir die Erfahrung des Gegenwärtigen auf eigene Autorität machen sollten, ruft uns gleichfalls zu einem bedenklichen Streit auf. Und doch fühlt ein Mensch, dem eine originelle Wirksamkeit zuteil geworden, den Beruf, diesen doppelten Kampf persönlich zu bestehen, der durch den Fortschritt der Wissenschaften nicht erleichtert, sondern erschwert wird. Denn es ist am Ende doch nur immer das Individuum, das einer breiteren Natur und breiteren Überlieferung Brust und Stirn bieten soll.»

«Queste parole di colore oscuro»

Zur deutschen Übersetzungsgeschichte der *Divina Commedia*

Erst stiegst du furchtsam in die ew'gen Tiefen,
Ins Land der Nacht, die nie gesehnen Orte,
Zu schauen, wo die alten Geister schliefen.

Das Herz erbebte zwar dem furchtbar'n Worte:
Die ihr hier eingeht, laßt die Hoffnung sterben,
Doch gingst du vorwärts durch die grause Pforte.

Dann durch den Zwang der Höll' und das Verderben
Der Seelen und die schrecklichen Gesichte
Drangst du, den höchsten Sieg dir zu erwerben,

Nicht durch das Tor der göttlichen Gerichte,
Das ewig ist und keinem überwunden,
Durchs Herz der Erde selbst zum ew'gen Lichte.

Dieses Gedicht trägt den Titel *An Dante*. Ein Deutscher hat es im Jahre 1802 geschrieben, der Philosoph Friedrich Wilhelm Joseph von Schelling. In vier Terzinen – Strophenform und Versmaß sind dem italienischen Original nachgebildet – umreißt Schelling die Jenseitsreise Dantes in der *Divina Commedia*: Zuerst der Gang in die Tiefe, in die Unterwelt, wo die «alten Geister schliefen», wie es heißt, also die Abgeschiedenen früherer Zeiten – wir wissen ja, daß sich in Dantes Vorhölle die großen Gestalten der griechischen und römischen Antike aufhalten – in jene Unterwelt, über deren Eingangstor die «furchtbar'n Worte» stehen *Lasciate ogni speranza, voi ch'entrate*, «Laßt alle Hoffnung fahren, die ihr eintretet». Durch die «grause Pforte» führt der Weg ins Inferno, zu den «schrecklichen Gesichten», den Visionen von Schuld und Strafe, wie sie Dante im ersten Teil seines Werkes schildert. Dann aber dringt er aus der Unterwelt empor zum Kreis der Seligen. Dieser Weg ins Paradies führt jedoch nicht über Tod und Gericht, sondern für den Dichter der Göttlichen Komödie durch das Zentrum der Erde hinauf zum Läuterungsberg und von dort «zum ew'gen Lichte», wie Schelling sagt. Soweit die vier Terzinen des deutschen Philosophen. Wir wollen uns hier nicht mit der Frage befassen, ob es sich dabei um ein wirkliches Gedicht handle. Der Ton ist vielleicht doch etwas zu lehrhaft. Aber sicher sind sie ein ehrwürdiges Zeugnis für den Anteil, den ein deutscher Denker am Werk des großen Italieners nahm, und sind sie eine Huldigung über Jahrhunderte hinweg, die uns nicht gleichgültig sein kann. In ihnen spiegelt sich etwas von der unablässigen Bemühung des deutschen Geistes um die *Divina Commedia*, eine Bemühung, die zwar in keinem Fall zu einem «deutschen Dante» geführt hat, wie wir in der Übersetzung von Schlegel und Tieck einen deutschen Shakespeare besitzen, die aber ein Gradmesser ist für das Verständnis der Göttlichen Komödie in Deutschland und im deutschen Sprachgebiet. Und so sind gerade die vielen, immer wieder aufgenommenen Übersetzungsversuche – die ja auch zugleich stets Deutungsversuche sind – ein Spiegel dessen, was jede Zeit im Werk des großen Italieners an Richtigem, Einseitigem und auch Falschem sehen konnte und sehen wollte.

Lange Zeit betrachtete man die Übersetzungen einzelner kurzer Dante-Stellen im 17. Jahrhundert durch G. Fr. Messerschmid, Christian Brehme, Johannes Rist, Andreas Gryphius und einen Anonymus als die ältesten Zeugnisse des deutschen Dante-Verständnisses. Ein viel früheres Dokument wies indessen Karl Bartsch im Jahre 1882 nach. Es handelt sich um eine anonyme Übersetzung der drei Verse *Inferno* III, 1–3, die sich auf der letzten Seite einer Münchner Handschrift aus dem Jahre 1479 zusammen mit dem ungenau zitierten italienischen Text *Inferno* III, 1–5, findet. Die deutsche Fassung lautet: «Durch mit get yn dy betrübten stat / Durch mit get czu dem verlorn volck / Durch mit get jn den ewigen todt.» Dabei ist das «Durch mit get» nur einmal ausgeschrieben, aber durch eine Klammer als für alle drei Verse gültig bezeichnet. Bartsch bemerkt zu diesem Übersetzungsversuch, er halte ihn «für einen metrischen und zugleich gereimten», da «stat/todt» nach der Reimkunst des 15. Jahrhunderts einen genügenden Reim darstelle.

Die Verse, die der unbekannte Autor des Spätmittelalters zu verdeutschen versuchte, gehören zu einer der berühmtesten Stellen der *Göttlichen Komödie*, der Inschrift über dem Eingangstor zur Unterwelt (*Inferno* III, 1–9). Ich gebe den Text von Scartazzini-Vandelli (Mailand 1946):

> *Per me si va nella città dolente,*
> *Per me si va nell' etterno dolore,*
> *Per me si va tra la perduta gente.*
>
> *Giustizia mosse il mio alto fattore:*
> *Fecemi la divina potestate,*
> *La somma sapienza e 'l primo amore.*
>
> *Dinanzi a me non fuor cose create*
> *Se non etterne, e io eterna duro.*
> *Lasciate ogni speranza, voi ch' entrate.*

Das Tor, welches den Übergang vom Diesseits ins Jenseits bezeichnet, wird vom Dichter im einzelnen nicht beschrieben. Aber von der Inschrift, dem furchtbaren Leitmotiv des ganzen Inferno, sagt er, sie bestehe aus Worten von dunkler Farbe: *Queste parole di colore oscuro | vid' io scritte al sommo d'una porta ...* (*Inf.* III, 10–11). Es ist die Anapher, die Wiederaufnahme des *Per me si va*, die den Versen ihren schicksalhaften Klang verleiht. Das ist bereits dem Übersetzer des 15. Jahrhunderts aufgefallen, und er hat diese Anapher durch eine entsprechende – in der graphischen Darstellung noch akzentuierte – Wiederholung im Deutschen wiedergegeben. Nach der ersten Terzine, die in dreifacher Umschreibung (*città dolente, etterno dolore, perduta gente*) das Wesen der Hölle charakterisiert, werden in den folgenden Versen Ursprung und Daseinsgrund der Hölle genannt: Gott hat sie geschaffen kraft seiner Macht, Weisheit und Liebe, damit Gerechtigkeit sei. Die letzte Terzine situiert die Unterwelt in der Zeit: Sie steht am Beginn der Schöpfung

– vor ihr gab es nur ewige, nicht aber irdische Dinge –, und sie wird ewig dauern. Schließlich verkündet der letzte Vers den endgültigen Urteilsspruch, der die Verdammten trifft, nach der vorhergehenden, etwas verklausulierten Aussage wieder mit lapidarer Knappheit und Schärfe. Diese neun Verse sind ein faszinierendes sprachliches Gebilde, das jeden Übersetzer auf die höchste Probe stellen muß, und wir werden im folgenden, wenn von einigen der zahlreichen deutschen Dante-Versionen die Rede sein wird, immer wieder auf diese *parole di colore oscuro* zurückkommen dürfen, um an ihnen als *pars pro toto* die Ziele und Ergebnisse der deutschen Bemühungen um die Göttliche Komödie zu zeigen.

Die erste vollständige Version erschien von 1767 bis 1769 in drei Bänden in «Leipzig, auf Kosten des Übersetzers und bey dem selben zu finden». Verfasser ist Lebrecht Bachenschwanz, der im beigefügten Kurfürstlich Sächsischen Privileg als *candidatus Iuris* bezeichnet wird. Es handelt sich um eine Prosaübersetzung, die mit Inhaltsangaben und erläuternden Anmerkungen versehen ist. Die Übersetzung ist erstaunlich genau, doch spiegelt ihr Sprachduktus mehr die Vorbilder des Jahrhunderts als das italienische Original wider. Im folgenden Beispiel wird das etwa an unmotivierten «empfindsamen» Wiederholungen deutlich:

«Durch mich gehet man in die traurige Stadt – durch mich gehet man in die ewige Qvaal (sic) – durch mich gehet man unter das verlorne Volk. – Gerechtigkeit war der Bewegungsgrund meines erhabenen Schöpfers und die göttliche Macht, die höchste Weisheit und die ewige Liebe gaben mir meine Wirklichkeit. – Vor mir waren keine Geschöpfe, außer nur ewige Dinge – und ich – ewig daure ich – ewig. – Laßt also, die ihr herein gehet, laßt alle Hoffnung fahren! –»

«Diese dunkelfärbigen Worte», wie Bachenschwanz sagt, werden wenig später von einem viel Größeren, nämlich August Wilhelm Schlegel, so übersetzt:

Ich bin der Weg ins wehevolle Thal,
Ich bin der Weg zu den verstoßnen Seelen,
Ich bin der Weg zur Stadt der ew'gen Quaal.

Mich schuf mein Meister aus gerechtem Triebe,
Ich bin das Werk der göttlichen Gewalt,
Der höchsten Weisheit und der ersten Liebe.

Vor mir war nichts erschaffenes zu finden,
als ew'ges nur, und ewig währ auch ich.
Ihr, die ihr eingeht, laßt die Hoffnung schwinden!

Schlegel hat nur einzelne, meist kürzere Partien der *Divina Commedia* übertragen, um seine kritischen Ausführungen über das Werk Dantes mit deutschen Zitaten zu belegen. Die vorstehende Stelle erschien zuerst 1791 im Aufsatz *Über des Dante Alighieri Göttliche Komödie nebst Übersetzungen von den ausgezeichnetsten Stellen jeder Art verknüpft durch eine Skizze der übrigen Erzählung;* sie wurde, zusammen mit neuen Übertragungen, 1795 in einem Beitrag über *Dantes Hölle* in Schillers *Horen* wieder abgedruckt. Das Beispiel zeigt, daß Schlegel die rhythmische Form des Originals beibehalten, auf das Reimschema aber verzichtet und sich damit begnügt hat, jeweils den ersten und dritten Vers der Terzine zu reimen – eine Zwischenlösung, die, wenn Bartsch recht hat, bereits dem Übersetzer von 1479 vorschwebte.

Was den eingangs zitierten Schelling betrifft, so hat er sich als Übersetzer nur an einzelnen Partien des Gedichts versucht. Zu ihnen gehört auch die Inschrift überm Höllentor. In seiner Fassung aus dem Jahre 1802 lautet sie:

Ich bin der Weg zur wehevollen Stadt,
Ich bin der Weg ins Reich der ew'gen Schmerzen,
Ich bin der Weg zu den verlornen Seelen;

Gerechtigkeit bewog den, der mich schuf,
Es machte mich die Kraft des ew'gen Willens,
Die höchste Weisheit und die erste Liebe.

136

Vor mir war nichts von den erschaffnen Dingen,
Nur ew'ge waren, und ich selbst bin ewig,
Laßt alle Hoffnung fahren, die ihr eingeht.

Der Grundsatz Schellings, rhythmisiert, aber reimlos zu übersetzen, hat sich erst in unserem Jahrhundert völlig durchgesetzt, er ist aber, wie der Blick auf die vielen Versübersetzungen des 19. Jahrhunderts zeigt, vermutlich richtig.

Während Schlegel und Schelling vom literarischen und philosophischen Gehalt der *Commedia* her zu ihren – leider nur sehr unvollständigen – Versionen kamen, gingen die meisten Übersetzer und «Nachdichter» des 19. Jahrhunderts den umgekehrten Weg. Für sie stand die Bemühung um Form und Reim im Vordergrund. Das früheste Beispiel dafür bietet Karl Ludwig Kannegiesser, der 1809 bis 1821 die erste vollständige gereimte Fassung veröffentlichte. Ich zitiere aus der «vierten, sehr veränderten Auflage» von 1843:

Durch mich geht's ein zur Stadt voll Pein und Grausen,
Durch mich geht's ein zum ewiglichen Leid,
Durch mich geht's ein, wo die Verlornen hausen.

Der Höchste schuf mich aus Gerechtigkeit,
Göttlicher Allmacht dank' ich mein Entstehen,
Der ersten Lieb' und der Allwissenheit.

Vor mir war nichts Geschaffenes zu sehen
Als Ewiges, und ewig bin auch ich.
Laßt jede Hoffnung, denkt ihr einzugehen!

Das ist sicher eine beträchtliche «artistische» Leistung – aber kaum mehr. Ihre Unzulänglichkeit zeigt sich hier etwa in den forcierten Reimen «Leid/Gerechtigkeit/Allwissenheit» – gegenüber dem klangvollen und ganz selbstverständlich wirkenden Original *dolore/fattore/amore* –, in dem pleonastischen «voll Pein und Grausen» und in dem unbeholfenen «denkt ihr einzugehen» (*voi ch'entrate*) des letzten Verses.

Im Gefolge Kannegießers stehen Übersetzer wie Karl

Streckfuß (1824–1826), Bernd von Guseck (Pseudonym für Karl Gustav von Berneck, 1840), Otto Gildemeister (1888) und Alfred Bassermann (1892–1921). Das Ziel ist stets dasselbe, mit den Worten Gusecks: «gewissenhafte Treue, Klarheit und möglichste Sorgfalt der Form». Aber das Ergebnis führt vom Original weg statt zu ihm hin. Dabei gibt es auch bei den Versübersetzungen mehr und weniger Gelungenes. Streckfuß ist ein besserer Handwerker des Metrums und des Reims als Guseck, der, um einen Reim auf «Herz» und «Schmerz» (!) zu finden, *La somma sapienza e 'l primo amore* mit «Allweisheit und Allgüte schuf dies Erz» wiedergibt, und auch Gildemeister weiß die Sprache zu handhaben – aber beim «Handhaben» bleibt es auch. Selbst Alfred Bassermann, ein bedeutender Dante-Forscher (*Dantes Spuren in Italien*), der sich in seinem Vorwort eingehend über die Problematik des Übersetzens verbreitet, kommt zu keinem besseren Resultat als:

Durch mich gelangt man zu der Stadt des Harmes,
Durch mich zu Weh, stets ungestillt geblieben,
Durch mich zum Wohnsitz des verlornen Schwarmes.

Das Recht hat meinen Schöpfer angetrieben,
Mich schuf die Macht des hohen Unsichtbaren,
Die höchste Weisheit und das erste Lieben.

Vor mir hat nichts des Schöpfers Kraft erfahren,
Als Ewiges. Ich selbst kenn' keine Zeiten;
Laßt, die ihr eingeht, alle Hoffnung fahren.

Neuere Versuche in derselben Richtung wagten Richard Zoozmann und Wilhelm G. Hertz. Sie haben in manchem Einzelnen neue und glückliche Lösungen gefunden. Aber auch bei ihnen müssen die strengen *parole di colore oscuro* immer wieder zu schillernden Worten, zum verzweifelten Balanceakt zwischen Sinn, Metrum und Reim werden, oder sie verschwimmen in undeutlichen Umrissen. Das darf, bei aller hohen Achtung, die man der Arbeitsleistung der deutschen Reimübersetzer dankbar entgegenbringt, nicht verschwiegen werden.

Schon das 19. Jahrhundert hat indessen auch andere, zugleich bescheidenere und zuverlässigere Übersetzungen hervorgebracht, die sich z. T. auch heute noch gut lesen. An ihrer Spitze ist die Fassung des Königs Johann von Sachsen zu nennen, die dieser unter dem Pseudonym Philaletes seit 1828, vollständig im Jahre 1849, herausgab. Im durchgesehenen Text von 1865/66 lautet die Inschrift:

Der Eingang bin ich zu der Stadt der Trauer,
Der Eingang bin ich zu dem ew'gen Schmerze,
Der Eingang bin ich zum verlornen Volke!

Gerechtigkeit trieb meinen hohen Schöpfer:
Die Allmacht hat der Gottheit mich gegründet,
Die höchste Weisheit und die erste Liebe.

Vor mir ist nichts Erschaffenes gewesen,
Als Ewiges, und auch ich daure ewig.
Laßt, die ihr eingeht, jede Hoffnung fahren!

Es genügt, die Übersetzung von Philaletes mit derjenigen Bassermanns zu vergleichen, um der reimlosen Form den Vorzug zu geben. Nicht nur bleibt sie sachlich viel näher am Original und vermeidet das Gequälte, das den deutschen Terzinen so oft anhaftet, sondern sie trifft auch im Ton die lapidaren *parole di colore oscuro* viel besser und gibt damit eine genauere Vorstellung dessen, was der italienische Text ist – ohne mit dem Anspruch hervorzutreten, diesen zu ersetzen.

Reimlose vollständige Übersetzungen der *Divina Commedia* besitzen wir auch von August Kopisch, Friedrich Witte und Konrad Falke.

In völligem Gegensatz zu ihnen stehen aber die anspruchsvollen «Nachdichtungen» und «Neuschöpfungen» von Paul Pochhammer, J. Kohler, Siegfried v. d. Trenck und anderer. Bei Pochhammer heißt es *Dantes Göttliche Komödie in deutschen Stanzen frei bearbeitet*, bei Kohler *Dantes Heilige Reise, freie Nachdichtung der Divina Commedia* und bei v. d. Trenck gar *Dantes Divina Commedia. Das ewige Lied, durch Versenkung und*

Eingebung wiedergeboren. Die «Bearbeitung» Pochhammers erschien 1901 in einer Prachtausgabe mit Buchschmuck von H. Vogeler-Worpswede, und jugendstilhaft wie sein Äußeres wirkt das Werk auch in seiner Sprache, wo die *divina potestate* zum «Vater, machtvoll schon vor ird'schem Tage» wird. Kohler publizierte seinen Dante ebenfalls um die Jahrhundertwende (1901–1903) und nennt ihn «mein Werk, ein Werk der Dichtung, das nur als Dichtung beurteilt werden will». Was dabei herausschaute, sei nur mit der letzten Terzine der Hölleninschrift belegt:

> *Das Chaos war, als ich zum Sein erwacht,*
> *Und ewig werd ich sein; laß jedes Hoffen,*
> *Wer eingeht, schwinden; ewig ist die Nacht.*

Der hohe Anspruch der Nachdichter der Jahrhundertwende war in einem Fall gerechtfertigt: bei Stefan George. 1909 erschien als Privatdruck sein *Dante: Die Göttliche Komödie. Übertragungen;* die zweite erweiterte Ausgabe ist von 1912. George behält Metrum und Reim bei, aber er brachte ein anderes Opfer und verzichtete auf Vollständigkeit. In der *Vorrede zur ersten Auflage* schreibt er: «Der Verfasser dieser übertragungen dachte nie an einen vollständigen umguß der Göttlichen Komödie: dazu hält er ein menschliches wirkungsleben kaum für ausreichend ... Er weiß daß das ungeheure welt, staats und kirchengebäude nur aus dem ganzen werk begriffen wird. Was er aber fruchtbar zu machen glaubt ist das dichterische, ton bewegung gestalt ...» Bei George ist der dichterische Anspruch mit ernster Bescheidung und Beschränkung gepaart. Die Stellen der Göttlichen Komödie, die wir in seiner Fassung besitzen, gehören zu den kostbarsten Zeugnissen der Bemühungen um einen deutschen Dante und zu ihren eindeutigsten Ergebnissen. Hier die Inschrift:

> *Durch mich geht man hinein zur stadt der trauer*
> *Durch mich geht man in der Verlornen zelle*
> *Durch mich geht man zum leiden ewiger dauer.*

Aus recht gab mir der Schöpfer meine stelle
Die göttliche Gewalt hat mich geweitet
Die erste Liebe und die höchste Helle.

Vor mir war kein geschaffnes ding bereitet
Nur ewige – wie ich auch ewig stehe.
Laßt jede hoffnung die ihr mich durchschreitet.

Das «wort in einer dunklen farbe», wie George sagt, gewinnt hier den genauen sprachlichen – auch klanglichen – Wert des Originals, soweit dies in einer Übersetzung überhaupt möglich ist. Der parataktische Stil Dantes, von dem die wie gemeißelte Wirkung ausgeht, wird im Deutschen vollkommen gespiegelt, und auch die kühnen Umsetzungen («der Verlornen zelle» für *l'etterno dolore*) bleiben innerhalb der Ausdruckswelt des italienischen Dichters. Der Reim – sonst die Klippe, an der die Übersetzer scheitern – wird souverän umgesetzt: man vergleiche *dolore/fattore/amore* mit «zelle/stelle/Helle» und halte daneben Kannegießers «Leid/Gerechtigkeit/Allwissenheit».

Die Beschränkung, die sich George auferlegte, und innerhalb deren ihm eine vollkommene Leistung gelang, suchte Rudolf Borchardt zu durchbrechen. Sein *Dante deutsch* erschien vollständig erstmals 1930 im Verlag der Bremer Presse in der lichten typographischen Gestaltung, die den Publikationen dieses Hauses einen auch sichtbaren Adel verleiht. In der vorangestellten *Ehrentafel des deutschen Dante-Gedächtnisses* beruft sich Borchardt ausdrücklich auf den Vorgänger: «Stefan George hob die entartete Übertragung eines Jahrhunderts auf und brach der neuen die Bahn.» Man weiß, welche Bedeutung dem *Dante deutsch* innerhalb des Gesamtschaffens Borchardts zukommt, man hat sogar gesagt, die Übertragung nehme die vakante Stelle eines Hauptwerkes ein. Um so heikler ist es, die Übertragung im Rahmen dessen, was zwei Jahrhunderte deutschsprachiger Dante-Übersetzer versucht und geleistet haben, zu würdigen. Das gewaltsame Unternehmen Borchardts, die Göttliche Komödie in eine ad hoc neu geschaffene, dem Italienischen nachgeformte und vom Mittelhochdeutschen

und den deutschen Mundarten beeinflußte Sprache umzu-
setzen, bewirkt beim Leser eine aus Hochachtung und Ver-
legenheit gemischte Reaktion. Das gilt auch für unser Beispiel:

> *Bei mir hin ein gehts in die leiden gassen,*
> *Bei mir hin ein gehts in ewiges leid,*
> *Bei mir hin ein gehts zu den gottverlassen.*

> *Daß ich entstünde, riet Gerechtigkeit;*
> *Schaffen hat mich selbdritt mit Urzeit-Minne*
> *Und Weisheit höhester Gott-Allmächtigkeit.*

> *Nicht dinges ward eh meinem anbeginne*
> *Denn ewigs; des bin ich ewiger dauer:*
> *Schlagt euch hinfüro hoffnung aus dem sinne!*

So groß der Kunstverstand, der hier am Werk war: die
Übersetzung muß sich *ad absurdum* führen, wenn sie selber
wieder übersetzungsbedürftig wird – und das ist bei Borchardt
über weite Strecken der Fall. Die Übertragung, die doch vor
allem der Ver-Ständigung der großen italienischen Dichtung
dienen müßte, wird zum Vorwand eines Aufgebots sprachlicher und stilistischer Originalität, hinter welcher der Urtext
zurücktreten muß und die sich aus sich selber doch nicht genügend rechtfertigt, weil sie trotz allem Übersetzung bleibt.
So ist das Werk Borchardts zwar ein genialer Versuch, aber
ein Versuch, der als Ganzes nicht glücken und der deutschen
Sprache den «definitiven» Dante nicht geben konnte.

Während der *Dante deutsch* Borchardts in bestimmter Weise
den Höhepunkt und zugleich den Endpunkt der «poetischen»
Bemühungen um die Göttliche Komödie bezeichnet, setzt
sich die mehr in einem philologischen als in einem hypothe-
tischen «künstlerischen» Sinn werkgetreue Übersetzertradition,
die von Schelling über Philaletes zu Witte verläuft, selbstverständlich fort und bringt in unserem Jahrhundert drei hervorragende Gesamtversionen der *Divina Commedia* hervor, diejenigen von Karl Vossler, Hermann Gmelin und Ida und Walter von Wartburg. In allen drei Fällen entstand die Übersetzung

nicht im Gegensatz zur Dante-«Wissenschaft», sondern (wie schon bei Witte) in engem Zusammenhang mit ihr. Vossler hat, lange vor der Übersetzung, sein großes Werk über *Die Göttliche Komödie* geschrieben; Gmelin ist der Verfasser eines dreibändigen, in seiner Sachlichkeit und Vollständigkeit vorbildlichen Dante-Kommentars, und auch die Version des Ehepaars Wartburg ist aus der akademischen Arbeit an der *Commedia* herausgewachsen. Dabei ist Vossler in seiner Zurückhaltung gegenüber der Form des Originals so weit gegangen, daß er auch rein äußerlich auf die Terzinenform verzichtet hat. Wir zitieren aus der zweiten, 1945 erschienenen Auflage seiner *Göttlichen Komödie*:

> *Ich bin der Eingang in die Stadt der Schmerzen,*
> *ich bin der Eingang in das ewige Leid,*
> *ich bin der Eingang zum verlornen Volk.*
> *Gerechtigkeit bewegte meinen Bauherrn,*
> *die Allmacht Gottes richtete mich auf,*
> *die höchste Weisheit und die erste Liebe.*
> *Geschaffne Wesen gab es nicht vor mir,*
> *nur ewige, und ewig stehe ich.*
> *Tu, der du eintrittst, alle Hoffnung ab.*

Die Bescheidung, die doch, wie man gerade bei Vossler sieht, neue und originelle Wege der Verdeutschung nicht ausschließt – wie gut trifft hier zum Beispiel der «Bauherr» den *alto fattore!* –, diese Bescheidung hat sich auch Gmelin zum Grundsatz gemacht. Im Vorwort zu seiner 1949 bis 1959 in drei Bänden erschienenen Übersetzung schreibt er: «Es wurde versucht, unter Verzicht auf jegliches poetisches Experiment die Erhabenheit und Nüchternheit des Danteschen Stiles und die Eigenart seines Satzbaues und seiner Gedankenführung nachzubilden, ohne jedoch seinen Erfindungen auszuweichen.» Der Versuch ist Gmelin geglückt, wie er in jüngster Zeit auch Ida und Walter von Wartburg glückte. In ihrer im Jahre 1963 veröffentlichten Fassung lautet die Inschrift überm Höllentor:

Durch mich geht man zur Stadt der Schmerzen ein;
durch mich geht man hinein zur ewigen Qual;
durch mich geht man zu den Verlorenen.

Gerechtigkeit bewegte meinen Schöpfer;
erschaffen hat mich Gottes ewge Allmacht,
die höchste Weisheit und die erste Liebe.

Denn vor mir ward kein einzig Ding erschaffen
als Ewiges, und ewig werd' ich dauern;
ihr, die ihr herkommt, lasset alle Hoffnung.

Am Ende einer zweihundertjährigen Bemühung um den «deutschen Dante», die von den Anfängen eines Bachenschwanz, den Hinweisen Schlegels und Schellings, über die «formgetreuen» Reimwerke eines Kannegießer und Gildemeister und die Sachlichkeit eines Philaletes zu den Absonderlichkeiten eines Pochhammer, der Prätention eines Kohler, der kunstvollen Gewaltsamkeit Borchardts und den genialen Fragmenten Georges führt, stehen so Zeugnisse nicht des «nachdichterischen» Anspruchs, sondern des philologischen Forschergeistes. Sie wollen sich nicht an die Stelle des italienischen Gedichts setzen, sondern diesem dienen.

Madame de Staëls Buch über die Literatur

In seiner Geschichte der französischen Literatur schreibt Pierre Kohler, der Verfasser des großen Werkes über *Madame de Staël et la Suisse*, der außerordentliche Ruf, dessen sich die Tochter Neckers erfreut habe, sei mehr auf die persönliche Rolle, die sie zu spielen wußte, als auf ihr Werk zurückzuführen. «Sie spricht gut, aber viel, sehr viel», sagte Goethe nach dem Zeugnis Amalie von Imhofs über sein Zusammentreffen mit der berühmten Frau im Dezember 1803. Ihre Bücher seien zuerst geplaudert worden, bevor sie sie geschrieben habe, meint Albert Thibaudet, und nach dem Urteil desselben Kritikers bedarf es heute nicht nur einer ernsthaften Anstrengung, ihre Romane zu Ende zu lesen, sondern ihr ganzes Werk ist *pesant*, das heißt schwer verdaulich geworden. Die Probe aufs Exempel bestätigt Thibaudets Äußerung. Am leichtesten geht dem modernen Leser noch ihr bekanntestes Buch *De l'Allemagne* ein; manche Seiten aus ihm, wie die Schilderung des Hirtenfestes in Unspunnen, haben eine ursprüngliche Frische bewahrt, und als Kulturdokument, als Zeugnis der Völkerverständigung – und freilich auch für das, was Jean-Marie Carré *le mirage allemand* der französischen Schriftsteller genannt hat – übt *De l'Allemagne* noch eine unbestreitbare Anziehungskraft aus. Nicht behaupten läßt sich das von den Romanen und nur in beschränktem Maß von ihrem frühen Werk *De la littérature*. Madame de Staël ist eine große Erinnerung in der französischen und europäischen Literatur, ihr Name bezeichnet einen denkwürdigen Punkt in unserer Geistesgeschichte, aber was zu ihrer Zeit ihre überragende Wirkung ausmachte, spiegelt sich im Werk nur noch wie in einem stellenweise erblindeten Spiegel.

Was wir hier versuchen wollen: dieses Spiegelbild unter dem Aspekt eines bestimmten Buches etwas genauer zu erkennen, dürfte einen besonderen Sinn haben, wenn es sich bei dem Buch um die Abhandlung über die Literatur – mit dem vollen Titel:

De la littérature considérée dans ses rapports avec les institutions sociales – handelt. Nicht nur deshalb, weil *De la littérature* einer der ersten literatursoziologischen Versuche ist, die es überhaupt gibt, und so vom Thema her unser soziologisches Zeitalter besonders interessieren muß, sondern mehr noch, weil hier zum erstenmal – oder doch zum erstenmal mit dieser Eindeutigkeit und Entschiedenheit – das Phänomen des Literarischen aus nationaler und nationalsprachlicher Beengung gelöst und in einen europäischen Zusammenhang hineingestellt wird. Im 12. Jahrhundert schrieb Chrétien de Troyes in der Einleitung zu seinem *Cligés*-Roman: «Unsere Bücher haben uns gelehrt, daß Griechenland den ersten Ruhm des Rittertums und der Wissenschaft besaß. Dann kam das Rittertum nach Rom und die Blüte der Wissenschaft, die jetzt nach Frankreich gekommen ist – *de la clergie la some, / Qui or est en France venue* –. Gebe Gott, daß sie dort verbleibe ...» Dieser Anspruch Frankreichs, in unmittelbarer Überlieferung das antike Geisteserbe zu verwalten und zu mehren, ist im Grunde bis zum Ende des 18. Jahrhunderts nie bestritten worden. Dann aber erwächst aus Frankreich selber – wenn auch bezeichnenderweise durch eine Wahlfranzösin schweizerischer Abstammung – die Gegenstimme. In ihrem Buch *De la littérature* setzt Madame de Staël an die Stelle einer national gebundenen und klassisch normierten Einheit der Literatur erstmals das Bild einer aus verschiedenen Quellen gespeisten vielstimmigen europäischen Literatur. Diesem Versuch haften viele Mängel an. Aber seine grundsätzliche Bedeutung wird dadurch nicht geschmälert. Literaturgeschichtlich steht Madame de Staël zusammen mit Chateaubriand am Anfang der französischen Romantik. Im Gegensatz zu diesem hat sie aber von vornherein keinen nationalen, sondern einen europäischen Standpunkt eingenommen. So konnte Heinrich Morf von ihr sagen: «Sie ist kosmopolitisch und erschließt durch das Ausland Frankreich eine ganze Welt neuer Ideen und Stimmungen. So ist ihr Einfluß bedeutender, nachhaltiger als der seine. Sie ist moderner, entschiedener, umfassender.»

Es muß für den heutigen Leser freilich zu den größten Mängeln des genannten Buches gehören, daß Madame de Staël die Vielstimmigkeit der europäischen Literatur, die sie sehr richtig erkannt hat, im wesentlichen auf zwei Grundströmungen zurückführt: *Il existe, ce me semble, deux littératures tout-à-fait distinctes, celle qui vient du midi et celle qui descend du nord, celle dont Homère est la première source, celle dont Ossian est l'origine.* Dieser berühmte Satz, mit dem das 11. Kapitel, *De la littérature du Nord*, beginnt, ist geistesgeschichtlich zu verstehen als programmatisch überspitzter Ausdruck der Entdeckungen, die in der zweiten Hälfte des 18. Jahrhunderts das traditionelle Bild der französischen Literatur aufzulockern begannen: die Naturseligkeit Gessners und Rousseaus, nordische Geschichte und Dichtung (Paul-Henri Mallets *Histoire de Danemark*, Macphersons angebliche Ossian-Übersetzungen), das Mittelalter, Shakespeare, Goethes *Werther* als Beispiel der neuen deutschen Literatur. Manchen Betrachtern schien damit die Existenz einer zweiten europäischen Literaturtradition erwiesen, die sich gleichberechtigt neben die klassische, in den romanischen Sprachen fortgesetzte, stellte. Madame de Staël machte sich in ihrem Buch zur Wortführerin dieser These, die sie auf die schlagende Formel «Homer und Ossian» brachte. Sie blieb nicht unwidersprochen.

Auf die erste, im April 1800 in Paris erschienene Auflage gingen zwei ausführliche anonyme Artikel im *Mercure de France* teils mit gründlichen Gegenargumenten, teils mit persönlichen Anfeindungen ein. Der Verfasser, der bonapartistisch gesinnte Louis de Fontanes, kritisiert darin unter anderem auch die These von den zwei Literaturen; mit Recht zweifelt er an der Echtheit der Ossianischen Dichtungen, aber seine Argumentation zielt dabei auf etwas Prinzipielles: Madame de Staël, meint er, vertrete an sich falsche Ideen, weil die klassische Poesie die Grundlage auch der modernen Literatur bleiben müsse. Die Angegriffene setzt sich in der zweiten, im Dezember des selben Jahres erschienenen Auflage des Buches zur Wehr: Ohne die Bedeutung der antiken Dichtung schmälern zu wollen, bekennt sie sich noch einmal mit Nachdruck zur Grundthese ihrer Darstellung, nämlich daß die gegenwärtige Literatur in einer Entwicklung und Neuorientierung begriffen ist, die man nicht mit klassizistischen Maßstäben messen darf. Wenn man in Frankreich von vorneherein alles, was zu einem *nouveau genre* führen kann, ablehnte, müßte das Land seine beherrschende Stellung in der Literatur verlieren. Madame de Staël zeigt sich hier besonders eindrücklich als Anwältin des Neuen in der Auseinandersetzung der *anciens et des modernes* der Frühromantik. In diesem Zusammenhang findet sich auch der köstliche Satz: *Si l'on dirigeoit un jour la navigation aérienne, combien les rapports de la société ne seroient-ils pas différens?* Wohlweislich vermeidet sie es aber, im einzelnen auf die Diskussion um Ossian und die These von den zwei Literaturen einzugehen. So sehr sie letztlich, indem sie die Vielheit der europäischen Literatur gegen die Enge des klassischen Dogmas und seiner staatspolitisch bedingten Hintergründe verteidigte, im Recht war, so unhaltbar erwies sich ihre Theorie im einzelnen.

Diese Unhaltbarkeit hat dem Nachruhm ihres Buches über Gebühr geschadet. Es gehört in die Literaturgeschichte als ein Dokument der frühen europäischen Romantik, durch das die nordischen Nebel Eingang gefunden haben in die Gärten Le Nôtres; das Interesse an ihm ist deshalb auch vorwiegend, ja fast ausschließlich historisch. Damit wird man aber dem Werk nicht gerecht. Nicht nur deshalb, weil in einem tieferen Sinn, allen sachlichen Irrtümern zum Trotz, Madame de Staël die Dinge doch richtiger sah als Leute wie Fontanes, und ihr Buch, über seine unmittelbare Thematik hinaus, ein Beispiel geistiger Offenheit und freiheitlicher Gesinnung ist, das uns auch heute nicht gleichgültig sein kann, sondern auch deshalb, weil eine rein literaturgeschichtliche Würdigung seinen Gedankenreichtum, seine ganz unsystematische Fülle kluger, origineller, gelegentlich provozierender, manchmal prophetischer, oft überraschender und fast immer zu eigenem Mitdenken anregender Beobachtungen und Feststellungen vernachlässigt.

Gerade darin liegt aber für den modernen Leser sein Hauptreiz. Niemand wird sich für die Diskussion um Homer und Ossian noch anders denn als Historiker zu erwärmen vermögen. Aber wenn wir Sätze lesen wie die folgenden: «Alle Wörter, die, in welchen Gattungen auch immer, falschen Ideen und kalten Übertreibungen gedient haben, sind für lange Zeit mit Unfruchtbarkeit geschlagen; und eine Sprache kann sogar die Gewalt, einen bestimmten Gegenstand ergreifend zu machen, gänzlich verlieren, wenn sie in Hinsicht auf eben diesen Gegenstand allzu sehr strapaziert worden ist.» Oder: «Der Schriftsteller an der Arbeit hat seine Richter in Gedanken stets gegenwärtig, und alle Werke sind ein aus der Begabung des Autors und aus den Einsichten des Publikums, das er sich als Tribunal gewählt hat, zusammengesetztes Ergebnis.» Oder: «Durch die Revolution, die sich in den Geistern und in den Institutionen vollzogen hat, muß der Stil Veränderungen erleiden, denn der Stil besteht nicht nur in den grammatikalischen Wendungen: er hängt mit dem Grund der Ideen, mit dem Wesen des Geistes zusammen, er ist keineswegs eine bloße Formsache. Der Stil eines Werkes ist wie der Charakter eines Menschen; dieser Charakter kann weder seinen Ansichten noch seinen Gefühlen fremd sein; er verändert sein ganzes Wesen.» – Wenn wir solchen pointiert formulierten Einsichten begegnen, und das ist in diesem Buch immer wieder der Fall, dann wird uns bewußt, daß hier noch ganz anderes getan wird, als eine für uns längst überholte und unhaltbar gewordene kulturkritische These zu verfechten.

Es ist wahr, daß *De la littérature* als Ganzes heute keine begeisternde Lektüre mehr abgibt, und wenn Thibaudet vom Stil des Buches sagt, er sei *appuyé, engorgé et lourd*, so ist das leider ein nur allzu berechtigter Einwand. Allerdings nicht, was das einzelne betrifft. Hier, im Detail, in der Anmerkung, im Aperçu, zeigt sich die Verfasserin von einer ganz anderen Seite. Es offenbart sich die geistvolle Frau, die Rednerin im literarischen Salon, die ihre Einsichten im Spruch und Widerspruch der Konversation zu schlagender Formulierung emporträgt und sich von der Dialektik des Gesprächs zu immer neuen

Gedanken anregen läßt. An manchen Stellen wird der Leser von dieser Bewegung unwillkürlich mitgetragen, die Autorin setzt eine These, spricht Einwände aus, die in ihm selber sich zu regen begannen, verwirft sie wieder, holt neue Argumente heran, appelliert an den Verstand und im Handumdrehen an die Gefühle und läßt unversehens den Gedankenfaden fallen, um einer überraschenden Vorstellung, einer neuen Idee nachzueilen. Man wird das oft als Kunst der Konversation, gelegentlich aber auch weniger galant als Geschwätzigkeit empfinden, der man freilich um ihrer Natürlichkeit und immer wieder hell aufleuchtenden Intelligenz willen nie ärgerlich sein kann. Sobald aber Madame de Staël in den Ton des Dozierens fällt, sobald sie gelehrt systematisch und philosophisch tiefgründig sein will, wird der Fluß der Rede träge und ermüdend; die Wiederholungen und eine gewisse Rechthaberei und Gespreiztheit strapazieren die Aufmerksamkeit des Lesers über alle Gebühr und lassen sie schließlich erlahmen. Das wirkt sich dort doppelt unangenehm aus, wo die Verfasserin mit völlig unzureichenden sachlichen Voraussetzungen, ja öfters ohne ihren Gegenstand richtig zu kennen, mit großer Gebärde Kunsturteile abgibt, etwa wenn sie sagt: *L'Europe, et en particulier la France, ont failli perdre tous les avantages du génie naturel, par l'imitation des écrivains de l'Italie*, wenn sie bei Boccaccio nur *les contes les plus indécens* sieht oder Dante gnädig zugesteht, er zeige «in einigen Stücken seiner Dichtung» Energie, ihm im übrigen aber *des défauts sans nombre* ankreidet. Solche Urteile, die meist aus zweiter Hand stammen, drücken das geistige Niveau des Buches ebenso hinunter wie die bloß lehrhaften Partien sein stilistisches. Mit andern Worten: geschickt gekürzt, muß *De la littérature* für den modernen Leser wesentlich gewinnen, ja man kann sich eine Auswahl von Kernstellen und Aphorismen vorstellen – oder wird sie bei der Lektüre des Ganzen vielleicht unbewußt selber vornehmen –, in der das eigentümliche Genie der Verfasserin, das von der Breite und Umständlichkeit des Theoretisierens und Exemplifizierens so oft verdunkelt wird, erst im rechten Licht erscheint.

Denn der Ausdruck Genie scheint, wenn man einmal von den formalen Mängeln des Buches absieht, kaum zu hoch gegriffen. Genial ist die im Titel formulierte Grundkonzeption, die Literatur in Hinsicht auf ihre gesellschaftlichen Bezüge zu betrachten. Dieser schöpferische Gedanke war für die Zukunft von allergrößter Bedeutung. Und im einzelnen gelingt es Madame de Staël bereits sehr oft, die gestellte Aufgabe zu lösen und solche Bezüge konkret nachzuweisen. Ein Beispiel: Im 20. Kapitel des ersten Buches ist die Rede von der französischen Literatur der vorrevolutionären Epoche. Die Verfasserin beobachtet sehr genau das zunehmende politische Engagement des Schriftstellers. Sie begrüßt diese Entwicklung. Im Zeitalter Ludwigs XIV. entstand die Literatur in einer unpolitischen Sphäre. Dadurch konzentrierten sich fast alle Bemühungen auf Sprache und Stil. In stilistischer Hinsicht, meint Madame de Staël, bleibe die klassische französische Literatur deshalb auch vorbildlich. Durch das politische Engagement des Schriftstellers im 18. Jahrhundert gewinnt sie nun aber eine neue Dimension; es handelt sich freilich erst um einen Ansatz, der aber entwicklungsfähig ist und weitergeführt werden muß: «Wenn man die Schriftsteller der Epoche Ludwigs XIV. mit denjenigen des 18. Jahrhunderts vergleicht, stellt man die ersten Anzeichen der großen Veränderung fest, welche die politische Freiheit in der Literatur bewirken muß: aber welche Kraft muß das Talent nicht erst unter einer Regierungsform gewinnen, in welcher der Geist eine wirkliche Macht ist! Der Schriftsteller und Redner fühlt sich durch die moralische oder politische Bedeutung der Interessen, die er vertritt, erhoben; wenn er für das Opfer gegenüber dem Mörder, für die Freiheit gegenüber dem Unterdrücker eintritt ..., wenn ihm das Schicksal des Vaterlandes selber anvertraut ist, muß er versuchen, die egoistischen Charaktere seiner Hörer von ihren Vorteilen und Ängsten loszureißen und in ihnen jene Bewegung des Blutes, jene Trunkenheit der Tugend zu entfachen, die eine bestimmte hohe Beredsamkeit augenblicklich und sogar im Verbrecher erregen kann.»

In diesem Passus, der einer offensichtlichen Aktualität nicht ermangelt, stoßen wir auf einige weitere Leitmotive des Buchets über die Literatur. Einmal das sehr entschiedene politische Interesse, das noch etwas anderes ist als die bloße Forderung nach Engagement, nämlich ein deutliches Bekenntnis zum Gedanken der Freiheit. Wie ernst es Madame de Staël damit war, zeigt ihre Auseinandersetzung mit der Französischen Revolution. Als Liberale hat sie die politische Selbständigwerdung des Dritten Standes begrüßt und sich ideell der Revolution angeschlossen – aber nur bis zu dem Punkt, wo diese in neuen Zwang ausartete. Man spürt bei ihr immer wieder einen echten Kummer über die Auswüchse der Revolution, und an unmißverständlichen Äußerungen gegen die Schrekkensherrschaft wie auch gegen andere Formen der Unfreiheit läßt sie es nicht fehlen. Das hängt mit zwei weiteren Leitmotiven ihres Denkens und Schreibens zusammen: mit dem, was sie selber «die Moral» nennt und was in Wirklichkeit ein Name für die Humanität ist, und mit dem Fortschritt.

Bei allem politischen Engagement ist Madame de Staël im tiefsten Grunde kein politischer Mensch, in dem Sinne nämlich nicht, daß es ihr unmöglich ist, sich für eine bestimmte politische Doktrin ein für allemal zu entscheiden und dann auch dabei zu bleiben. Das Politische ist bei ihr eine Form des Humanen, und Politik bedeutet ihr nicht mehr als eine Möglichkeit, einen besseren Menschen zu verwirklichen, das heißt einen freieren, verantwortungsbewußteren und gütigeren. Am Anfang und am Ende ihres politischen und literarischen Bekenntnisses steht nicht ein Gedanke, sondern ein Gefühl, nicht eine rationale Erkenntnis, sondern Begeisterung, innere, seelische Bewegung. Sie selber spricht immer wieder von «Enthusiasmus», von «Ergriffenheit» und «Sensibilität», oft auch von der «Melancholie», die für sie ein wesentliches Ingrediens der neuen Literatur ist, und in der oben zitierten Stelle gar von der «Trunkenheit der Tugend», ein Ausdruck, der sowohl an die Gefühlsseligkeit Rousseauscher Weltschau erinnert, wie er die seelische Erregung der Romantik ankündigt.

Auf merkwürdige Weise verbindet sich bei ihr nun aber damit ein sehr dezidierter Glaube an den Fortschritt. *Le progrès*: das ist ein Schlüsselwort zum Verständnis des Buches über die Literatur. In zahllosen Abwandlungen taucht es im Laufe ihrer Darlegungen stets von neuem auf, und an diesem Gedanken hat sie, allen Kritiken zum Trotz, konsequent festgehalten, auch wenn sie im «Gang der Menschheit nach oben» ehrlicherweise gewisse Stockungen, ja Rückschritte nicht übersehen kann. Aber auf eine manchmal fast naive Art versucht sie immer, die Fakten so zu ordnen und zu deuten, daß sie ihren Lieblingsgedanken, wo sie ihn nicht stützen können, so doch wenigstens nicht Lügen strafen. Erbe der Aufklärung spricht sich hier aus, etwa wenn sie sagt, man müsse, um in der Moral und Politik gegen alle gefährlichen Leidenschaften «nützliche Fortschritte» zu gewährleisten, die «Philosophie der Naturwissenschaften» auf die «Philosophie der intellektuellen Ideen» anwenden. Parallel mit diesem Fortschrittsglauben läuft bei ihr dann, gleichsam als Nebenmotiv, der Gedanke der Frauenemanzipation und der Hinweis auf die Bedeutung, welche die Frau im Laufe der Jahrhunderte für die Entwicklung der Kultur gehabt hat und jetzt in noch höherem Maße besitzt – von all den vielfältigen Motiven, die sie anschlägt, vielleicht dasjenige, das ihrem Herzen am nächsten ist.

Es ist unvermeidlich, daß in der Betrachtungsweise, die Madame de Staël in ihrem Buche übt, die Literatur als ästhetisches Phänomen nicht zu ihrem Recht kommt. *Je suis revenue sans cesse, dans cet ouvrage, à tout ce qui peut prouver la perfectibilité de l'espèce humaine*, sagt sie am Schluß ihres *Discours préliminaire* und betont damit das Vorurteil, mit dem sie an alle Erscheinungen der menschlichen Kultur und Zivilisation herantritt; aber daß es in der Kunst mit dieser *perfectibilité* nicht so programmgemäß zugeht, wie sie es wünschen möchte, kann auch sie nicht bestreiten. So muß sie schon zu Beginn der historischen Betrachtung, nämlich dort, wo sie von der Poesie der Griechen handelt, zu einer etwas sonderbaren Unterscheidung Zuflucht nehmen, um ihre «Entwicklungstheorie» überhaupt aufrecht erhalten zu können: für die *merveilles de l'imagination* – also die dichterische Einbildungskraft – gesteht sie den Alten die Priorität zu, für den *progrès des idées* dagegen beharrt sie auf der Vorstellung einer kontinuierlichen Entfaltung vom Altertum bis in die Gegenwart. Das ästhetische Phänomen, anders gesagt das Poetische, läßt sich in die literatursoziologische These nicht einbauen; in einem anderen bedeutenden Werk der Literaturtheorie, Sartres *Qu'est-ce-que la littérature?*, ist übrigens dasselbe zu beobachten; auch hier nimmt der Verfasser von seiner grundsätzlichen Forderung nach Engagement die Poesie ausdrücklich aus. Was Madame de Staël betrifft, so kann man ihr den Vorwurf eines gewissen Systemzwangs nicht ersparen, nur daß dieser Zwang, da sich ihm die Tatsachen nicht ohne weiteres beugen, dann einfach die Form einer Forderung annimmt: *Une progression constante dans les idées, un but d'utilité* doit *se faire sentir dans tous les ouvrages d'imagination*. Im Vorwort zur zweiten Auflage hat sie, nicht zuletzt um berechtigten Einwänden ihrer Kritiker zu begegnen, ihre These schließlich doch etwas gemildert, wenn sie ausführt, sie möchte nicht behauptet haben, die Geisteskraft der Modernen sei an sich größer als diejenige der Alten, *mais seulement que la masse des idées en tout genre s'augmente avec les siècles*. Mit dieser Einschränkung zeigt sie selber wider Willen, auf wie schwachen Füßen ihre grundsätzliche Argumentation steht. Wir sehen von neuem, daß wir es in ihrem Buch, allem äußeren Anschein zum Trotz, nicht mit einem systematisch gefügten Gedankengebäude, sondern mit einer bunten Versammlung interessanter Beobachtungen und Einzelgedanken zu tun haben, nicht mit dem Werk einer Philosophin, sondern mit dem einer geistvollen Literaturkritikerin.

Wenn wir von hier aus den Versuch riskieren wollen, *De la littérature* zusammenfassend zu beurteilen, so könnte sich die Formel nahelegen: Als geistige Haltung bewundernswert und von kaum verminderter Aktualität; als Theorie der Literatur reich an klugen Einsichten, aber im ganzen nicht haltbar; als stilistische Leistung im Detail bedeutender als im Gesamt.

Madame de Staël lebte im Bewußtsein, einer Übergangszeit

anzugehören. Sie vergleicht ihre Gegenwart am Schluß des Kapitels über die *Ouvrages de l'imagination* bewußt mit der Epoche des untergehenden Römischen Reiches und der Germaneneinfälle. Aus diesem Bewußtsein und aus ihrem besonderen Naturell heraus war es ihr möglich, verschiedenartigste Anschauungen zu konfrontieren und gelegentlich auch zusammenzubringen: den Fortschrittsglauben der Aufklärung und die Gefühlsseligkeit der Romantik, das klassische Erbe der antiken und französischen Literatur und den von Norden her einströmenden Modernismus. Die geistesgeschichtliche Bedeutung des Buches über die Literatur ist unbestritten. Was aber, über die mehr als anderthalb Jahrhunderte, seit es geschrieben wurde, hinweg, an ihm lebendig und beispielhaft bleibt, ist seine Haltung eines offenen, unvoreingenommenen Liberalismus und ist das Bekenntnis zum Sinn und zur Notwendigkeit eines freien geistigen Verkehrs zwischen den Völkern und Nationen.

Der Giftschrank des Kritikers

Sainte-Beuves *Mes poisons*

Es gibt einen Kanon der großen Werke der Literatur: *Odyssee*, *Divina Commedia*, Pascals *Pensées*, *Raskolnikow*, *Faust* ... Auch Werke der Kritik gehören dazu: August Wilhelm Schlegels *Geschichte der klassischen Literatur*, Sainte-Beuves *Portraits littéraires*. Neben ihnen gibt es die marginalen Werke: Notizen, Aufzeichnungen, Tagebücher, Briefe: Seitentriebe am Stamm der großen Bücher, Nebenprodukte der Hauptarbeit, Entwürfe, Nachträge, Splitter, Paralipomena. Nicht selten geben diese vom Verfasser im allgemeinen nicht zur Veröffentlichung vorgesehenen Bruchstücke wichtige Auskünfte über seinen Entwicklungsgang, seine Schaffensweise, seine geheimen Gedanken. Was sie darbieten, ist nicht immer erfreulich, aber es ist fast immer interessant. Das gilt auch für das Buch *Mes poisons* des ausgezeichneten Kritikers Sainte-Beuve. Die Paralipomena eines Kritikers können besonders fesselnd sein, wenn sie das enthalten, was der Verfasser aus persönlichen Rücksichten und gesellschaftlichen Bedenken in seinen offiziellen Publikationen unterdrückte. Sie zeigen uns dann den Kritiker gleichsam von der Rückseite. Und wenn sich ein Buch *Meine Gifte* nennt, darf der Leser erst recht geheime Bekenntnisse, Enthüllungen, ja gelinde Sensationen erwarten. Alles das findet er bei Sainte-Beuve.

Der Titel stammt freilich direkt nicht von ihm, sondern von dem Literaturwissenschafter Victor Giraud, der im Jahre 1926 eine Auswahl aus Sainte-Beuves nachgelassenen *Carnets* herausgab und den Titel dem Text Sainte-Beuves entnahm, der an einer Stelle von den *couleurs à l'état de poisons* spricht. *Mes poisons* sind kein einheitliches Werk; sie sind eine «Blütenlese», die übrigens nicht einmal von Giraud selber zusammengestellt wurde. Henri Guillemin macht in seinem Vorwort zu einer Neuausgabe gegenüber diesem unphilologischen Vorgehen seine Einwände; aber auch er hält die *Poisons* für ein «kostbares Buch», das uns viele Aufschlüsse gibt.

Eine Lese giftiger Blüten also. Aber ist das Gift, das von Sainte-Beuve verspritzt wird, nach so vielen Jahrzehnten noch wirksam? Betrachten wir zuerst einige Urteile über Zeitgenossen. Victor Hugo: «Nie wird man über seine Dramen so schlecht sprechen, wie ich über sie denke.» «Hugo ist im Grunde naiver, als er glaubt.» «Gehört Hugo zur wirklichen großen Familie der Dichter? ... Er gehört in Wahrheit nicht dazu, und er hinterläßt dem, der ihn ehrlich prüft, einen peniblen Eindruck der Unsicherheit und des Chaos.» Der Philosoph und Politiker Victor Cousin: «Er ist schließlich nichts als ein begabter Scharlatan und ein genialer Leichtfuß.» Lamartine: «Der Sardanapal der Poesie, einer der größten Verschleuderer der Gaben Gottes.» «Lamartine ... sagt immer wieder das gleiche in verschiedenen Tönen, oder vielmehr spricht er immer wieder im selben Ton über alle Dinge.» Der Literaturkritiker Saint-Marc Girardin: «Eine gefühllose und schmutzige Seele.» George Sand: «Eine Christine von Schweden in der Kneipe.» Balzac: «Kein Zweifel, der Ruf Balzacs verbreitet sich wie ein Geschwür ... Jeder Kritiker hat sein Lieblingsopfer, auf das er sich stürzt und das er mit Vorliebe zerfetzt ... Für mich ist es Balzac.» Edgar Quinet: «Quinet ist wie ein entronnenes Pferd, das seit Waterloo seinen Reiter verloren hat ...» Ob solches Gift noch wirksam sei? Der heutige Leser wird die Urteile Sainte-Beuves dort, wo sie Ausdruck des Mißvergnügens, des Neids, der privaten Ranküne sind – und das ist nicht selten der Fall –, mehr amüsiert als entsetzt zur Kenntnis nehmen. Aber er wird auch feststellen, daß Sainte-Beuve mit seiner geheimen Kritik objektiv recht oft ins Schwarze trifft. In solchen Fällen ist das Gift längst zum positiven Wirkstoff geworden.

Nun ist aber Sainte-Beuves Buch keineswegs bloß eine Auseinandersetzung mit Zeitgenossen, sondern in höherem Maß noch eine Auseinandersetzung mit sich selber, mit der eigenen geistigen Konstitution und mit der Literaturkritik als Aufgabe und als Schicksal. Über alles Zeitgebundene hinaus erweist sich gerade dieser Aspekt der *Poisons*, eine Gewissensprüfung des Literaten und seines kritischen Metiers, als besonders eindrücklich: «Die Literaturkritik, leider sogar diejenige, die ich ausübe, ist mit der christlichen Erfahrung mehr oder weniger unvereinbar. Urteilen, immer über andere urteilen! Oder andere wiedergeben, sich in sie verwandeln, wie ich es oft tue: eine im Grund ganz heidnische Sache, Metamorphosen Ovids.» Und derselbe Mann, der sagt, er versuche in der Kritik stets, sich von der eigenen Person völlig zu lösen und mit seinem Gegenstand eins zu werden, bekennt wiederum: «Ich bin in dem Sinne Klassiker, als es für mich einen Grad der Unvernunft, der Tollheit, der Lächerlichkeit oder des schlechten Geschmacks gibt, der mir die Lust an einem Werk ein für allemal verdirbt ..., auch wenn es sonst sehr bedeutende geistvolle und begabte Partien enthält.» Wenn man solche Äußerungen gegeneinanderstellt, offenbart sich der innere Widerspruch, den jeder Literaturkritiker kennt und mit dem er fertig werden muß: der Bereitschaft, von der eigenen Person zu abstrahieren und nur dem Werk eines andern zu dienen, stellt sich der private Geschmack, stellen sich eigene künstlerische Erfahrungen, stellt sich der Wille zum Urteil, auch zum negativen Urteil, entgegen. Sainte-Beuve kann geradezu als Musterbeispiel dieser Antithese von Objektivität und Subjektivität gelten. Das gilt vor allem – und nicht nur für ihn – im Umgang mit zeitgenössischer Literatur. Die Stellung des Kritikers zur Literatur der Vergangenheit, sei es als Deuter anerkannter Werke, sei es als Entdecker und Anwalt vergessener oder unterschätzter Leistungen, ist in jedem Fall unmißverständlicher *sine ira et studio* als gegenüber den Hervorbringungen seiner Zeitgenossen, wo die Faktoren der Sympathie und der Antipathie, aber auch gesellschaftliche und politische Rücksichten, Eitelkeiten und Ambitionen viel mehr ins Gewicht fallen.

Sainte-Beuve macht hier keine Ausnahme, man erinnere sich nur seines merkwürdigen Verhaltens gegenüber Baudelaire und lese die Anklage, die Proust in seiner Schrift *Contre Sainte-*

Beuve erhoben hat. Auch Henri Guillemin geht im Vorwort zu unserer Neuausgabe in seinem wohlbekannten, aus Akribie und Pathos gemischten Stil mit Sainte-Beuve streng ins Gericht. Sainte-Beuve handelte und schrieb nicht immer uneigennützig – seine Haltung unter dem Zweiten Kaiserreich zeigt ihn als einen Mann, um nicht zu sagen als Opportunisten, der auf seinen persönlichen Vorteil bedacht war –, und daß er in seiner kritischen Arbeit bewußt gesellschaftliche Rücksichten nahm, gesteht er in den *Poisons* selber: «Finge man an, sich alle Wahrheiten laut vorzusagen, so hielte die Gesellschaft keinen einzigen Augenblick zusammen; sie stürzte mit fürchterlichem Lärm von oben bis unten zusammen wie der Tempel der Philister unter dem Griff Samsons, wie die Stollen in den Bergwerken oder die gefahrvollen Durchgänge in den Bergen, wo man bei der Gefahr, Lawinen auszulösen, die Stimme nicht erheben darf.» Guillemin geht aber noch ein beträchtliches Stück weiter als Sainte-Beuve selber; er schreibt: «Die Kritik, wie er (Sainte-Beuve) sie versteht, und die Literaturgeschichte, wie er sie ins Auge faßt, sind im geheimen für ihn nichts anderes als ein ständiger Vergleich, als eine angstvolle Befragung. Er ist bei denen, die er betrachtet, auf der Lauer, um irgend etwas zu entdecken, was ihnen eine dunkle Ähnlichkeit mit ihm verleihen könnte. Er macht kein Hehl daraus, daß er ‹den unbestimmbaren Hautriß›, ‹die geheime und schmerzhafte Runzel› finden will. Er ist nur dann zufrieden, wenn er die Schwäche entdecken oder erraten oder auch nur vermuten konnte, so sehr braucht er sie, diese Schwäche und diesen Fehler, der ihm einen Schuldigen ausliefert und ihm den Hintergedanken gestattet: Seht nur, selbst der da ...»

Wenn Sainte-Beuves Buch seinen Titel auch für den heutigen Leser noch zu Recht trägt, dann nicht wegen einiger scharfer oder mißvergnügter Urteile über literarische Zeitgenossen, wegen einiger Ausfälle gegen Politiker und spöttischer Bemerkungen über Frauen, sondern wegen der bitteren Auseinandersetzung mit den eigenen menschlichen Unzulänglichkeiten, die Guillemin in seinem Vorwort, fast möchte man sagen: in einem Sainte-Beuve verwandten Geist, pointiert zusammenfaßt. *Mes poisons* sind unter diesem Gesichtspunkt mehr, auf jeden Fall noch etwas anderes als Paralipomena zu einem großen literaturkritischen Werk des 19. Jahrhunderts: sie sind Bruchstücke des inneren Monologs eines einsamen Moralisten. «Man reift nicht», schrieb Sainte-Beuve, «man verhärtet stellenweise, und stellenweise verfault man.» Ein erschütternder Satz – er könnte von Samuel Beckett stammen. Guillemin nimmt ihn auf, und er berichtigt: *Durci, oui, Saint-Beuve. Pas pourri. Pas entièrement pourri. Vigilant ...* Wachsam, das war er, gegenüber seinen Mitmenschen, gegenüber dem literarischen Erbe der Vergangenheit und gegenüber der Gegenwart, wachsam vielleicht nicht gegenüber seinem eigenen Leben, aber gegenüber dem eigenen Innern und seinen Unzulänglichkeiten. Und wenn er über Literatur schrieb, so ging es ihm um mehr als eine akademische Übung, so sehr er vor sich selber und den andern den Akademiker hervorkehren konnte. In *Mes poisons* sagt er über eine bestimmte Art von Literaturkritikern: «Das sind die Metzgergesellen der Literatur. – Dringt, wenn ihr wollt, mit nacktem Schwert in die Festung ein, wie Edelleute, aber nicht mit dem Schlächtermesser in der Faust wie Henkersknechte.» So kann nur jemand sprechen, für den privates Vergnügen und Mißvergnügen im Umgang mit Literatur nicht das Letzte ist, jemand, der genau weiß, was Verantwortung gegenüber der Literatur heißt. Und Verantwortung im kritischen Metier, gefiltert durch eigene Erfahrungen und Enttäuschungen, gibt auch den folgenden Stellen aus den *Poisons* ihren Stil, ja ihre Würde, die nichts Giftiges mehr hat, sondern in schöner Selbstverständlichkeit sich zur Größe und Fragwürdigkeit dieses merkwürdigen Berufes bekennt: «Wir werden unsere Pflicht und Schuldigkeit als Ausguck im Mastkorb tun, und der Ruf, mit dem wir unsere Entdeckung melden, wird stets aus Erregung und Freude gemischt sein. Wenn man selber ein künstlerisches Teil in sich hat, wenn man einen Augenblick lang Künstler gewesen ist oder wenigstens den Wunsch gehabt hat, in einem bestimmten

Grad Künstler zu werden, ist die Wachsamkeit gegenüber den Schöpfungen, die entstehen, außerordentlich; der Blick zwischen zwei Augenaufschlägen ist rasch und täuscht ein wenig; man erkennt mit lebhaftem, fast eifersüchtigem Instinkt die Lichter, die am Horizont auftauchen und nach und nach die alten Lichter auslöschen werden ... Die kritische Begabung ... wird sogar zum Genie, wenn es darum geht, mitten in den Revolutionen des Geschmacks, zwischen den Ruinen eines alten Stils, der zusammenbricht, und den neuen Versuchen, die unternommen werden, sauber, klar und ohne Schwäche das, was gut ist und leben wird, zu erkennen; zu erkennen, ob in einem neuen Werk die wirkliche Originalität die Mängel aufwiegt ... Es gibt nur eine Art, die Menschen gut zu verstehen: sich im Urteil über sie nicht zu überstürzen, in ihrer Nähe zu leben, sie sich erklären, sich Tag für Tag entwickeln und sich selber in uns darstellen zu lassen. Das gilt auch für die toten Autoren: lest, lest langsam, laßt euch von ihnen ergreifen, und sie werden schließlich in ihren eigenen Worten faßbar werden.»

Der Deutschschweizer und seine Literatur

Brief an einen welschen Freund

Im Jahre 1959 erschien im Verlag *Nuova Accademia* in Mailand in der von Antonio Viscardi herausgegebenen Reihe *Storia delle letterature di tutto il mondo* ein Band, der das literarische Schaffen der Schweiz behandelt. Er heißt *Storia delle quattro letterature della Svizzera* und wurde verfaßt von dem Tessiner Guido Calgari. Wir haben es bei diesem Buch mit der neuesten Gesamtdarstellung der schweizerischen Literatur zu tun. Der schweizerischen Literatur? Nein, sondern der «vier Literaturen der Schweiz». Im Jahre 1910 nannte sich das Standardwerk von E. Jenny und Virgile Rossel noch *Geschichte der schweizerischen Literatur.* Dieser Titel könnte Anlaß zum Mißverständnis geben, es existiere so etwas wie eine schweizerische Literatur; in der Tat bestehen zwischen den verschiedenen Sprachgebieten der Eidgenossenschaft zahlreiche geistige und psychologische Verwandtschaftsbeziehungen – Ramuz und Gotthelf sind sich näher als Ramuz und Proust –, und auch kultureller Austausch findet seit dem 18. Jahrhundert immer wieder statt – wir brauchen nur an Gelehrte wie Fritz Ernst oder, von der Welschschweiz her, an Charly Clerc zu erinnern; aber die «schweizerische Literatur» ist, wie sogar Fritz Ernst zugeben mußte, deswegen doch noch lange keine Institution, sondern höchstens eine Idee. Heute stehen wir also, ehrlicher und eindeutiger, dazu, daß es in unserem Land, das ein politischer und wirtschaftlicher Organismus, aber keine kulturelle Einheit ist – und es auch nicht sein will! –, vier Literaturen gibt, eine deutschschweizerische, eine welsche, eine italienische und eine romanische. Vier schweizerische Literaturen also? Nein, auch das können wir nicht sagen. Drei von ihnen sind Bestandteile großer europäischer Literaturen. Das ist eine Tatsache, die wir gerade in bezug auf die deutschschweizerische Literatur nie außer acht lassen dürfen, auch wenn hier, aus verschiedenen Gründen, die Verhältnisse komplizierter sind als in der französischen und in der italienischen Schweiz.

Bekanntlich ist jeder Deutschschweizer a priori zweisprachig: neben und nach dem alemannischen Dialekt, seiner eigentlichen Muttersprache, lernt er «Hochdeutsch», die Sprache, die der Welsche *le bon allemand*, er selber aber meist «Schriftdeutsch» nennt. In dieser unterschiedlichen Bezeichnung zeigt sich eine wichtige Nuance: für den Deutschschweizer ist das Hochdeutsch nicht einfach das «gute Deutsch» – für bestimmte Bezirke des Lebens und des Ausdrucks ist ihm nämlich seine Mundart so «gut», wenn nicht «besser», als das Hochdeutsche –, sondern es ist für ihn im wesentlichen die Schriftsprache. Schriftsprache heißt aber auch Literatursprache. Die Literatursprache des Deutschschweizers ist das Hochdeutsch. Nun besteht freilich eine gewichtige Ausnahme, nämlich die deutschschweizerische Mundartliteratur. Diese ist quantitativ auch heutzutage von erheblicher Bedeutung. In qualitativer Hinsicht kann man das von ihr aber weniger sagen. Es gibt einige Lichtpunkte, ich nenne etwa die im Brienzer Dialekt geschriebenen Gedichte von Albert Streich (1897–1960), echt poetische Gebilde, in denen sich Naivität und Kunstverstand verbinden. Aber solche Fälle sind verhältnismäßig selten. Die deutschschweizerische Mundartliteratur ist in unserer Zeit weitgehend Ausdruck folkloristischer Bestrebungen geworden, und der «Heimatstil», der ihr allzuoft den Stempel aufprägt, hat meist recht wenig mit Stil zu tun und versteht Heimat oft nur noch als Liebe zu den wohlvertrauten Bildern der Vergangenheit.

Dafür ist der Beitrag der deutschen Schweiz zur deutschen Literatur um so bedeutender. In der Vergangenheit leisteten diesen Beitrag Ulrich Bräker (der «arme Mann im Tockenburg», der im 18. Jahrhundert eine der bedeutendsten Selbstbiographien der deutschen Literatur schrieb), Johann Jacob Bodmer (der Zürcher Kritiker und Übersetzer, der am Beginn des deutschen Sturms und Drangs steht), Albrecht von Haller (zu seiner Zeit eine europäische Berühmtheit und Begründer eines neuen Naturgefühls in der Dichtung), Conrad Ferdinand Meyer (als Lyriker wohl der bedeutendste Symbolist der deutschen Literatur), Jeremias Gotthelf und Gottfried Keller, die beiden großen Realisten, um nur einige zu nennen. In der Gegenwart sind die zwei bedeutendsten deutschsprachigen Dramatiker, Max Frisch und Friedrich Dürrenmatt, Schweizer. Aber neben ihnen sind andere zu nennen: Carl Spitteler, 1919 Nobelpreisträger für Literatur, dessen episches Hauptwerk *Der Olympische Frühling* zwar etwas Staub angesetzt hat, dessen Prosaschriften aber zu einem guten Teil sehr lebendig geblieben sind; der bedeutende Zürcher Lyriker Albin Zollinger (1895–1941); der Innerschweizer Meinrad Inglin (geboren 1893), der in seinem Hauptwerk, dem Roman *Schweizerspiegel*, mit überlegener und zurückhaltender Kunst unser Land zur Zeit des Ersten Weltkriegs schildert; der in Genf lebende Ludwig Hohl (geboren 1904), dessen denkerische Bemühungen einen scharf zutreffenden Prosastil formen; der aus Biel stammende Robert Walser (1878–1956), in seinen Romanen und Geschichten unbestreitbar einer der größten Meister der deutschen Sprache der ersten Jahrhunderthälfte. Das sind nur einige Beispiele, und unsere Aufzählung ist alles andere als vollständig. Aber sie läßt doch eines deutlich werden: das Gewicht des Beitrags der deutschen Schweiz zur deutschen Literatur. Es wäre undenkbar, diesen Beitrag in einem knappen Nachtrag zu einer *Geschichte der deutschen Literatur* darzustellen, wie es in französischen Literaturgeschichten zu Unrecht oft für die Literatur der französischen Schweiz geschieht: seit dem 18. Jahrhundert wird die deutsche Literatur zu einem nicht unbedeutenden Teil in der deutschen Schweiz gemacht.

Und dennoch ist, im Gegensatz zum Verhältnis der französischen Schweiz zu Frankreich, das Verhältnis der Deutschschweiz zu Deutschland nicht nur politisch, sondern auch literarisch sehr ambivalent. Zunächst ist hier nochmals auf die Sprache zurückzukommen: die Stellung des Hochdeutschen als Literatursprache beeinflußt die geistige Haltung des deutsch schreibenden Schweizers, indem es zwischen seinem Denken und seiner Äußerung eine zusätzliche Barriere aufrichtet. Mit anderen Worten: das Verhältnis des Deutschschweizers zu seiner Schriftsprache ist distanzierter als dasjenige des Deutschen oder auch als dasjenige des Westschweizers zum Französischen. Es ist zugleich aber auch literarischer. Das kann sich auf zwei ganz verschiedene Arten äußern: in sprachlicher und stilistischer Nachlässigkeit, Mangelhaftigkeit, ja sogar in ungenügender Beherrschung der hochdeutschen Grammatik und Syntax (es gibt unter den deutschschweizerischen Autoren Beispiele dafür, auch heute) oder aber in außerordentlicher sprachlicher Sorgfalt: der Schriftsteller schreibt bewußt «literarisch», er wird zum sprachlichen Puristen und Perfektionisten (auch an solchen Beispielen fehlt es nicht; es ist kein Zufall, daß ein Artist wie Conrad Ferdinand Meyer Schweizer war). Damit hängt eine oft festgestellte konservative Grundhaltung vieler deutschschweizerischer Autoren zusammen, die sich auch im Sprachlichen manifestiert. Nicht selten ist es so, daß sich in der Literatur der deutschen Schweiz die sprachliche Überlieferung – im guten und im schlechten Sinn – reiner und länger erhält als in Deutschland, wo die Literatursprache stets dem Einfluß der hochdeutschen Alltags- und Umgangssprache ausgesetzt ist. Auch in stilistischer Hinsicht ist die Experimentierlust südlich des Rheins im allgemeinen gemäßigter, was sich heute etwa im Bereich der Lyrik recht deutlich zeigt. Und der gerade in Deutschland vielzitierte «konkrete» Poet Eugen Gomringer stammt bezeichnenderweise aus Südamerika. Ohne die Deutschschweiz auf die Rolle eines konservativen Wächters festzulegen – denn in der Tat hat sie auch immer wieder sehr unkonventionelle, ja widerborstige Geister hervorgebracht –: man kann ihre bewahrende und mäßigende Funktion innerhalb der deutschen Literatur nicht leugnen.

Das distanzierte Verhältnis des Deutschschweizers zu seiner Literatursprache – man kann es auch ein gebrochenes Verhältnis nennen – spiegelt sich, positiv gesehen, in der Tatsache, daß der Anteil der Deutschschweiz an der großen deutschen Essayistik und wissenschaftlichen Prosa besonders stark ist.

Ich nenne aus der Vergangenheit nur die Basler Johann Jakob Bachofen (1815–1887) und Jacob Burckhardt (1818–1897), beide nicht nur hervorragende Gelehrte, sondern auch sprachmächtige Schriftsteller. Im Jahre 1929 veröffentlichte Eduard Korrodi unter dem Titel *Geisteserbe der Schweiz* eine 1943 in neuer Auflage erschienene Anthologie wissenschaftlicher und kritischer Prosa der deutschen Schweiz von Haller bis zur Gegenwart; an ihr läßt sich der Reichtum und die unverminderte Aktualität dieser in gewisser Hinsicht «typisch» deutschschweizerischen Tradition ermessen. Aus unserem Jahrhundert seien nur einige Namen erwähnt: der Psychologe Carl Gustav Jung, der Zoologe Adolf Portmann, der Historiker und Essayist Carl J. Burckhardt, die Literaturhistoriker Emil Staiger, Walter Muschg, Fritz Ernst und Karl Schmid, der Essayist und Lyriker Max Rychner, der Kritiker Werner Weber: eine noch in ihrer Unvollständigkeit imposante Reihe schöpferischer Geister und bedeutender Stilisten.

Was ich das gebrochene Verhältnis der deutschen Schweiz zur deutschen Literatur genannt habe, zeigt sich eindrücklich dort, wo sich Kultur und Politik überschneiden. Wir dürfen nie vergessen, daß die Schweiz ihre Existenz einer Trennung verdankt: derjenigen der Alten Orte vom Deutschen Reich. Dieses Bewußtsein ist, bei allen kulturellen Verbindungen, die nach Deutschland laufen, gerade in der deutschen Schweiz mehr oder weniger stets vorhanden, und es hat sich in den Jahren zwischen 1933 und 1945 in vielen Fällen zu einer wahren Feindschaft gegen Deutschland gesteigert. Aus dem Zwang der Notwendigkeit wurde damals unter dem Stichwort der «Geistigen Landesverteidigung» weiterhum eine kulturelle Autarkie vertreten, die sich auf die Literatur der Deutschschweiz nicht nur positiv auswirkte. Mit dem Ende des Krieges wurden die alten Verbindungen zu Deutschland allmählich wieder aufgenommen. Max Frisch (Jahrgang 1911) gehört zu der Generation, die sich den Weg ins weitere deutsche Sprachgebiet und darüber hinaus an eine weltweite Öffentlichkeit bahnte.

Das erste Theaterstück Frischs – das Schauspiel *Nun singen sie wieder* – wurde 1945 am Zürcher Schauspielhaus uraufgeführt, auf jener Bühne also, die während der Nazizeit in vorbildlicher Weise die freie deutsche Theatertradition wachgehalten hatte. Seither ist in der Deutschschweiz eine neue literarische Generation nachgerückt, deren Jugend nicht mehr durch das Erlebnis der deutschen Bedrohung, sondern durch die Nachkriegszeit, den Kalten Krieg und die Hochkonjunktur geprägt ist. Politisches Engagement, zeitkritische Auseinandersetzung und stilistische Angleichung an bekannte Vorbilder der angelsächsischen und französischen Literatur sind das Zeichen der meisten ihrer Romane und Erzählungen. Manche von ihnen erscheinen in deutschen Verlagen, fast alle versuchen, sich in Deutschland durchzusetzen, und nicht wenigen gelingt es, ich erinnere nur an Otto F. Walter. Erst kürzlich wurde der begehrte «Preis der Gruppe 47», eine der wichtigen Auszeichnungen der deutschen Gegenwartsliteratur, einem jungen Schweizer, dem Solothurner Peter Bichsel, verliehen. Damit sei nur angedeutet, was hier nicht weiter ausgeführt werden kann: daß die deutsche Schweiz heute wieder mehr denn je am literarischen Leben des gesamten deutschen Sprachgebiets Anteil hat und dadurch mit der modernen Weltliteratur kommuniziert.

In dieser Perspektive stellt sich die Frage nach dem Besonderen, dem «Schweizerischen», zugleich als Frage nach dem Allgemeinen. Aber auch das Umgekehrte gilt: das Allgemeine wird sich stets nur im Eigenen zu erkennen geben, und wir werden der Welt nur dann glaubwürdig sein können, wenn wir in Kritik und Zustimmung vor uns selber glaubwürdig sind.

Geistiges Erbe der französischen Schweiz

Zu einem Buch von Alfred Berchtold

Im Jahre 1909 publizierte Gonzague de Reynold den ersten Band seiner *Histoire littéraire de la Suisse au XVIIIe siècle*, die dem «Doyen Bridel und den Ursprüngen der westschweizerischen Literatur» gewidmet ist. Das literarhistorische Werk gehört auch in ein kulturpolitisches Programm: am Beispiel des – für sich genommen nicht besonders bedeutenden – Schriftstellers Philippe-Sirice Bridel (1757–1845) zeigt Reynold das Erwachen des helvetischen Nationalgefühls in der französischen Schweiz. Im Helvetismus des späteren 18. Jahrhunderts fand Reynold dasjenige vorgebildet, was er selber von der Literatur seiner Zeit forderte. Dem Ruf Bridels *Ne soyez pas seulement des Vaudois ..., mais soyez Suisses dans toute l'étendue du terme!* entspricht Reynolds Postulat eines schweizerischen Schriftstellers, der nicht zu Frankreich oder Deutschland gehört, sondern auf französisch oder deutsch sein eigenes – schweizerisches – Ideal ausdrückt.

Wenn heute, mehr als ein halbes Jahrhundert nach dem Buch Reynolds, aus der Westschweiz wieder ein gewichtiges literarhistorisches Werk zu uns kommt, das, ähnlich wie dies für die *Histoire littéraire* gilt, die Aufarbeitung eines immensen Tatsachenmaterials mit einer *prise de conscience* gegenüber dem geistigen Erbe des französischen Teils unseres Landes verbindet, wird der Betrachter kaum erstaunt sein, dieses Material unter einem ziemlich veränderten Gesichtspunkt vorgestellt zu bekommen. Das Programm des literarischen Helvetismus, die Betonung der gemeinsamen Züge des deutschsprachigen und des welschen Schrifttums der Schweiz, die Forderung nach einer immer weiter gehenden Synthese und die Unterordnung des ästhetischen unter den kulturpolitischen Anspruch, dies alles hat seit dem Ende des Zweiten Weltkriegs an Aktualität und Anziehungskraft viel verloren. Die Erkenntnis, die schon für den Kreis um die *Cahiers vaudois* grundlegend war, nämlich daß – mit den Worten Edmond Gilliards – die *force de création française* das Entscheidende ist, hat sich in der westschweizerischen Literatur der Gegenwart durchgesetzt. Dieser Abwendung von bestimmten «nationalen Anliegen» kommt der Internationalismus des modernen geistigen Lebens mit seinem intensiven Gedankenaustausch entgegen. Aber es wäre verfehlt, die Wandlung im literarischen Bewußtsein der Westschweiz in erster Linie darauf zurückzuführen. Sie liegt, stärker als in einer allgemeinen und etwas gleichmacherischen Modernität, in dem begründet, was man als eine neue Selbstbestimmung der französischen Schweiz gegenüber Frankreich bezeichnen kann. Diese Entwicklung hängt mit den politischen Vorgängen im Frankreich der letzten zwanzig Jahre zusammen; so ließen der Algerienkrieg und der neue französische Nationalismus für viele westschweizerische Intellektuelle die Grenze wieder deutlicher hervortreten und eine Besinnung auf das Eigene notwendig werden, ein Eigenes, das sich aber nicht vor allem als Schweizerisches, sondern als Französisches in westschweizerischer Ausprägung definiert. Das Stichwort heißt nicht mehr Helvetismus, es heißt *Suisse française* oder *Suisse romande*.

La Suisse romande au cap du XXe siècle nennt der aus dem Kanton Zürich stammende, 1925 in Paris geborene und in Genf angesiedelte Alfred Berchtold seine imposante Summe des westschweizerischen Geisteslebens im Übergang vom 19. ins 20. Jahrhundert. Mit dem Untertitel *Portrait littéraire et moral* ist umschrieben, daß es sich nicht in erster Linie um ein Werk der Literaturkritik, sondern um eine Bestandesaufnahme handelt, die auch das religiöse, pädagogische, sozialpädagogische und bis zu einem gewissen Grad wissenschaftliche Schrifttum überhaupt einbezieht. Das ist kein Zufall: Ein geistiges Porträt der französischen Schweiz im 19. und beginnenden 20. Jahrhundert trägt viele Züge, die mit Literatur nur dann zu tun haben, wenn wir den Begriff im weitesten Sinn nehmen. Um die Verwirklichung des Sprachkunstwerks ging es vielen westschweizerischen Autoren nur nebenher. Was dominierte, waren die philosophischen, religiösen und psychologischen Probleme. Die Sprache war Mittel, der literarische Ausdruck Brücke zur Verständigung, nicht Ziel und Verwirklichung. Berchtold zitiert einen Ausspruch des Sozialethikers Pierre Ceresole: *Il y a le langage socialiste qui est odieux, et le langage ecclésiastique qui l'est aussi, et cependant c'est là derrière qu'est la vérité.*» Aus dem besonderen Zusammenhang gelöst, in dem es bei Ceresole steht, kann dieses Wort auch andeuten, wie stark der westschweizerische Autor in der Vorstellung von einer absoluten und abstrakten Wahrheit, einer Idee, lebte, die hinter dem sprachlichen Ausdruck liegt und zu der man durch diesen hindurch vorstoßen muß. Der Gedanke an eine Wahrheit, die sich *im* sprachlichen Ausdruck verwirklicht, war den Moralisten, an denen die Literatur der französischen Schweiz so reich ist, fremd. Den Verfassern von Tagebüchern, Traktaten, Abhandlungen, Predigten, Aufrufen und Artikeln ging es nie in erster Linie um ein «Werk», sondern stets um eine «Sache», um Selbstprüfung und Selbsterkenntnis, um Welterkenntnis und Weltverbesserung. Auch ein so einzigartiges, durchaus der Weltliteratur angehörendes Werk wie die Tagebücher Henri-Frédéric Amiels war in der Intention des Autors alles andere als «Literatur», nämlich ein höchst privates Mittel, das eigene seelische Gleichgewicht zu bewahren. An eine Veröffentlichung dachte Amiel nicht – in ihrer Gesamtheit steht eine solche ja auch heute noch aus –, und Berchtold weist mit Recht darauf hin, daß bei seinem Tode am 11. Mai 1881 selbst seine Freunde der Meinung waren, es würde von ihm nichts überleben. Erst die Entdeckung des unsichtbaren Teils dieses so klein eingeschätzten, in Wirklichkeit so gewaltigen Eisbergs verhalf Amiel zu literarischem Fortleben.

Bei Amiel stellt sich die für das westschweizerische Schrifttum bezeichnende Introvertiertheit und Gehemmtheit gegenüber dem Ausdruck – und damit auch gegenüber aller Ausdruckskunst – paradigmatisch dar. Berchtold hat im Verlauf seiner Darstellung immer wieder Gelegenheit, auf diese elementare Tatsache hinzuweisen. Dabei ist das Tagebuch Amiels als Spiegelung dieser Seelenlage ein Einzelfall. Bei den meisten Autoren konnte aus solcher Gestimmtheit kein einheitliches und überragendes literarisches Werk erwachsen, sie zersplitterten ihre Begabung in fragmentarischen Schriften. In welchem Maß sich diese Gehemmtheit direkt auf das Schreiben auswirkte, zeigt zum Beispiel eine Selbstaussage des Psychologen Théodore Flournoy: *Il me semble que j'ai du sable dans le cerveau, qui bouche les canaux de ma fonction graphique.* So stellt denn Berchtold im Kapitel über Pierre Jeannet auch fest: *On peut donc dire à propos de Jeannet, comme de bien des écrivains romands: l'homme dépasse l'œuvre.*

Schon Amiel konstatierte übrigens mit der ihm eigenen selbstkritischen Klarsicht: *Ainsi donc la philosophie morale est encore ce qui vaut le mieux pour un Genevois. La gravité intellectuelle est ce qui nous sied le moins mal. L'histoire, la politique, la science économique, l'éducation, la philosophie pratique nous sont ouvertes.* Die Folgerung, die Amiel aus dieser Erkenntnis zieht, könnte auch in unseren Tagen über einem westschweizerischen «Kulturprogramm» stehen: *Nous avons tout à perdre à nous franciser et à nous pariser, puisque nous portons alors de l'eau à la Seine. La haute critique indépendante est peut-être plus facile à Genève qu'à Paris, et Genève doit demeurer dans sa ligne, moins asservie à la mode, cette tyrannie du goût, à l'opinion régnante ... Il est vrai que ce rôle est ingrat, mal vu, raillé; mais qu'importe? ... On ne prescrit pas l'originalité, on la réalise, si l'on peut.* (14 juillet 1880. *Fragments d'un Journal intime*, zweibändige Ausgabe von B. Bouvier, Bd. II, S. 289 f.)

Die Forderung nach einer *haute critique indépendante* wurde schon vor Amiel durch Alexandre Vinet verwirklicht. Sainte-Beuve schrieb nach dem Besuch einer seiner Vorlesungen in Lausanne, er habe noch nie eine so reine geistige Freude empfunden und «das moralische Gefühl des Denkens» sei ihm nie so lebhaft bewußt geworden. Der protestantische Literaturkritiker Amiel, der in seinem Werk den moralischen mit dem ästhetischen Anspruch überzeugend zu verbinden wußte, steht am Beginn einer bedeutenden westschweizerischen Tradition religiös und staatsbürgerlich fundierter Literaturdeutung, die über Männer wie Gaston Frommel zu Paul Seippel, Pierre Kohler und anderen führt und sich bis in die Gegenwart fortsetzt. Aber eine *haute critique indépendante*, eine im Sinne Karl Schmids «kontrapunktische Gegenstimme» zu Frankreich, stellt bereits das Werk Jean-Jacques Rousseaus dar, und auf eine andere, weniger offensichtliche Weise auch dasjenige Benjamin Constants, ebenfalls Verfasser eines *Journal intime*, dessen geistige Bezüge zum Tagebuch Amiels Berchtold überzeugend nachweist. Es gehört zu den Vorzügen der Darstellung Berchtolds, immer wieder auf solche Perspektiven sowohl in die Vergangenheit als auch in die Zukunft aufmerksam zu machen und damit dem Begriff der Tradition einen konkreten Inhalt zu geben.

Aber Berchtold begnügt sich keineswegs damit, große Traditionslinien aufzuzeigen und «interessante» Autoren ins rechte Licht zu stellen. Im Gegenteil: Seine Aufmerksamkeit gilt in hohem Maße den Schriftstellern zweiter und dritter Ordnung, den Halbvergessenen, denjenigen, die einer regionalen und lokalen Überlieferung angehören. Gerade in dieser Hinsicht hat er ein wahrhaft umfassendes Material aufgearbeitet, und dadurch, daß er aus den Originalschriften dieser Männer und Frauen, die als Ganze kaum mehr gelesen werden, reichlich zitiert, macht er sein Buch auch zu einer Fundgrube wenig bekannter Texte. Namen wie Henry Warnery, Samuel Cornut oder Alfred Millioud, geistige Bewegungen wie *Les conférences de Sainte-Croix*, Zeitschriften wie *La Semaine littéraire* oder die katholischen *Nova et vetera* erscheinen hier wieder von einem nicht bloß literarhistorischen Gehalt erfüllt. Vieles berührt den Leser nur mit dem flüchtigen Zauber des Altmodischen, einem Zauber, der auch aus den Porträttafeln des Buches zu ihm spricht, anderes aber erscheint von oft überraschender Aktualität, wie etwa die Gedanken eines Charles Secrétan oder Félix Bovet, und nicht selten ergeben sich wichtige Auskünfte zum Verständnis der französischen Schweiz von heute, ihrer nonkonformistischen, pazifistischen und sozial-kritischen Elemente.

Es ist angesichts des überwältigenden Stoffes, der sich nur zum Teil nach literarischen Kriterien ordnen läßt, folgerichtig, daß Berchtold seine Darstellung in einzelne geschlossene Kreise gliedert, die auch auf die geographischen, historischen und psychologischen Gegebenheiten Rücksicht nehmen. So steht dem Hauptabschnitt *La tradition protestante* ein ebensolcher *Présence catholique* gegenüber, unter dem Obertitel *La poésie* finden wir Kapitel wie *Antithèse genevoise* und *Solitude jurassienne*, die Entwicklung des Romans wird unter dem Thema *Du Journal intime au roman* abgehandelt, *Le génie du lieu* zeigt an Gestalten wie Paul Seippel, Philippe Monnier und Ferdinand Hodler die Öffnung des heimatlich-lokalen in ein allgemein schweizerisches Bewußtsein, und der Hauptabschnitt *De la Renaissance de 1904 aux Cahiers vaudois* stellt die beiden Kapitel *De la Suisse à l'Europe* – beherrscht von der Erscheinung Gonzague de Reynolds – und *Du pouvoir des Vaudois* – mit dem Zentrum C.-F. Ramuz – kontrapunktisch einander gegenüber.

Was Berchtold im Zusammenhang mit Paul Budry sagt, charakterisiert seine Methode überhaupt: *Pour bien connaître l'écrivain et reviser un jugement hâtif, il convient de n'être point pressé, de ne pas choisir trop vite. Il faut le suivre patiemment, à la trace, à travers toutes les revues de notre pays, prendre un livre, un essai, un croquis après l'autre, en extraire le suc «substantifique», laisser se bonifier les crus ...* Auf diese Weise gelingt ihm etwas, das über das bloße Aufarbeiten und Ausbreiten von Stoff hinausgeht: er macht uns all die mittleren und kleinen Gestalten, die zum Bild der geistigen Westschweiz gehören, glaubwürdig und läßt auch die moralisierende, selbstkritische und oft so «unliterarische» Tradition des Landes als sinnvoll und positiv erscheinen.

L'homme dépasse l'œuvre. Wir wissen, daß diese tragische Devise des westschweizerischen Schrifttums in mindestens einem Fall nicht mehr zutrifft, nämlich in demjenigen von Charles-Ferdinand Ramuz. Was im 19. und frühen 20. Jahrhundert Andeutung, Ansatz und Versprechen war, wird bei Ramuz Erfüllung. In seinem Werk gewinnt – nach Rousseau und Constant – die französische Schweiz abermals weltliterarisches Format, nicht wider Willen wie bei Amiel, sondern in direkter, gleichsam frontaler Bewältigung der Aufgabe, die sich dieser Schriftsteller selber stellte und die er mit allen Konsequenzen auf sich nahm. Ramuz ist das zentrale Ereignis in der modernen Literatur der Westschweiz; das Provinzielle und das Universale finden sich bei ihm zur Synthese, konservative und progressive Elemente halten in seinem Werk jenes Gleichgewicht, welches Kunst als bewußte Stilisierung verbürgt. Es ist natürlich, daß sich die Besinnung auf das eigene Wesen in der Westschweiz immer wieder um die Figur Ramuz' kristallisierte und kristallisiert – auch für Berchtold stand die Begegnung mit Ramuz am Anfang seiner jahrelangen Studien –, weil sich bei ihm dieses Eigene erstmals auch künstlerisch ganz rechtfertigt. Das war im übrigen nicht ohne mühsame Auseinandersetzung mit der Realität des Staates, in dem der Schriftsteller lebte, möglich. An die Stelle der idealistischen Formel von der vielsprachigen Schweiz tritt bei Ramuz das bittere Wort von der *séparation des races*, eine negative Umschreibung jenes Eigenen, Waadtländischen, das positiv gefaßt im Titel des ersten *Cahier vaudois* sich als Existenzgrund – *Raison d'être* – zu erkennen gibt.

Ramuz war als sprachschöpferisches Genie ein Einzelfall; in seiner ideellen Zielsetzung war er es nicht, sondern gehörte zu einem Kreis Gleichgestimmter – Edmond Gilliard, Paul Budry, die Brüder Cingria und andere – um die *Cahiers vaudois*, die sich mit Entschiedenheit für eine regionale Literatur als Kunst einsetzten. Diesem literarischen Anspruch gesellte sich die Forderung nach einer Erneuerung des Theaters und des musikalischen Lebens bei; sie erfüllte sich im *Théâtre du Jorat* mit René Morax einerseits, im Lebenswerk Ernest Ansermets anderseits, brachte in Adolphe Appia den Begründer des modernen Bühnenbilds und in Emile Jaques-Dalcroze den Schöpfer einer neuen Musikpädagogik hervor. Die Wurzeln dieser geistigen und künstlerischen Erneuerung gehen aber weiter zurück. 1904 bereits erschien die Zeitschrift *La Voile latine* als Podium einer Generation, die sich in vollem Aufbruch befand; um was es schon damals ging, zeigt ein Wort Gonzague de Reynolds aus dem Jahre 1909: *«Le goût ne suffit pas, nous voulons un grand art»*. Während sich die Waadtländer aber einem universalen Regionalismus zuwandten und das «Schweizerische» als *quantité négligeable* ausklammerten, entwickelte sich Reynold zum Treuhänder des helvetischen Gedankens, eines Gedankens, der sich in der «Neuen Helvetischen Gesellschaft» institutionalisierte und in zwei Weltkriegen seine staatspolitische Bewährung zu bestehen hatte.

Region, Nation, Welt: in diesen drei konzentrischen Kreisen spiegelt sich das geistige Erbe der französischen Schweiz, in den Wechselwirkungen vom einen zum andern vollzieht sich ihr intellektuelles und künstlerisches Leben. Was die Hingabe an die Welt in einzelnen konkreten Fällen bedeutet, zeigt Berchtold im Schlußabschnitt seines Buches, der *L'appel du large* überschrieben ist. Hier begegnen wir noch einmal einem großen westschweizerischen Autor des 20. Jahrhunderts, dem aus La Chaux-de-Fonds stammenden Frédéric-Louis Sauser, der unter dem Namen Blaise Cendrars berühmt geworden ist, ein Abenteurer nicht nur in seinem Leben, sondern auch in der französischen Literatur war und die Entstehung der modernen Poesie entscheidend beeinflußte. Heißt es bei Ramuz *Raison d'être*, bei Reynold *Cités et pays suisses*, so lautet der Titel seines frühen Gedichtbandes ebenso bezeichnend *Du monde entier*. Ramuz, Reynold und Cendrars, sie verkörpern die drei Kreise der Region, der Nation und der Welt beispielhaft. An der Schwelle zur Gegenwart hat die französische Schweiz nicht nur die innere Bestätigung ihres regionalen Daseinsgrundes gefunden, sie ist sich nicht nur erneut über ihre Stellung innerhalb der Nation klar geworden, sondern sie hat sich auch weit nach Europa und der Welt hin geöffnet. Damit beherrscht eine neue Dialektik das geistige Spannungsfeld. Nicht anders als Rousseau und Amiel gehören auch Reynold und Ramuz bereits zur Geschichte. Das Erbe kann für die Zukunft keine Modelle liefern. Aber es kann und muß immer wieder zum Vergleich und damit zur Besinnung auffordern. Eine solche Besinnung ist in der mustergültigen Arbeit Alfred Berchtolds vorgezeichnet und durch sie möglich geworden.

Anhang

Nachweise und Belege

Bücher

Erster Teil als *Betrachtungen eines Lesers* am 14. Juli 1963 im deutschschweizerischen Radio, zweiter Teil unter dem Titel *Die vergessenen Bücher* im *Schweizer
Bücherboten*, Herbst 1958 (verändert), dritter Teil im Zürcher *Tagesanzeiger*,
15. Dez. 1966.

Zu Federico da Montefeltro notiert das *Handwörterbuch für Büchersammler* von
Eberhard Hölscher, Hamburg 1947: «Leidenschaftlicher Bibliophile, der nur
Handschriften sammelte.» In Baldassar Castigliones *Cortegiano* (1528) heißt es:
*Appresso, con grandissima spesa adunò un gran numero di eccellentissimi e rarissimi
libri greci, latini ed ebraici, quali tutti ornò d'oro e d'argento, estimando che questa
fusse la suprema eccellenzia del suo magno palazzo* (I/3). Das kann sich, neben den
Handschriften, auch auf einzelne Inkunabeln beziehen. Der 1. Teil von Pulcis
Morgante erschien 1482 im Druck, im Todesjahr Federicos.

Zur Buchproduktion der Gegenwart: *Meyers Handbuch über die Literatur*,
Mannheim 1964, gibt für Westdeutschland einschließlich Westberlin für 1953
die Zahl von 15 738 Buchtiteln, für 1962 bereits 22 615. Von 1800 bis 1960 hat
sich die Bevölkerung um 175% vermehrt, die Buchproduktion aber um ca.
480% (Otto F. Best: *Krisis des schöngeistigen Verlages?* in: *Bertelsmann Briefe*
27/1963, S. 8). Zur Stellung des Buches angesichts der modernen Informations-
technik vgl. z. B. Walter Rüegg: *Die kulturelle Funktion des Buches*, in: *Bertelsmann Briefe*, 32/1964, S. 1–6, und Max Nänny: *Entthronung des Buches?* ib.
38/1965, S. 1–4.

Welt im Gedicht
Titel einer Sendereihe im deutschschweizerischen Radio, April 1964 bis Dezember 1965.

Die Eitelkeit der Erde: Gryphius zitiert nach der Gedichtsauswahl *Wenn mir der
Himmel bleibt* (Text der Ausgabe von 1663), hgg. v. Wolfgang Kraus, Köln
und Olten 1962.

Fabelwelt, Menschenwelt: Carl J. Burckhardts *Ein Vormittag beim Buchhändler*
jetzt neu in *Betrachtungen und Berichte*, Zürich 1964.

Sehnsucht: Erschienen auch in den *Schweizer Monatsheften* («Gedicht-Interpreta-
tionen»), Oktober 1965. – Eichendorffs Äußerung zur Poesie zitiert nach *Anmut
und Adel der Poesie*, Aus den Schriften zur Literatur, ausgew. u. eingel. v. Paul
Stöcklein, München 1955, S. 220.

Der Epigone: Geibel zitiert nach *Ausgewählte Gedichte*, Stuttgart und Berlin 1904. Walzel über den «Münchner Dichterkreis» in seinem Anhang zu Wilhelm Scherers *Geschichte der deutschen Literatur*, Leipzig-Berlin, 4. Aufl. 1928, S. 605 f. Die Anthologie *Deutsche Gedichte* von Katharina Kippenberg erschien erstmals 1937 in der Insel-Bücherei.

Meisterwerk der Arbeit: Hofmannsthals Bemerkung in *Aufzeichnungen*, Frankfurt/M. 1959, S. 92. Das Zitat von Valéry stammt aus *Propos sur la poésie*, deutsch von Peter Gan, in: *Dichter über Dichtung*, hgg. v. W. Schmiele, Darmstadt 1955, S. 214. C. F. Meyers Gedicht in den verschiedenen Fassungen zitiert nach *Wege der deutschen Literatur*, Ein Lesebuch, zusammengestellt von H. Glaser, J. Lehmann und A. Lubos, Frankfurt/M.-Berlin 1962, S. 376. Vgl. dazu jetzt *Sämtliche Werke*, Historisch-kritische Ausgabe, besorgt von Hans Zeller und Alfred Zäch, Bern 1958 ff.

Städter: Die Anthologie *Menschheitsdämmerung* zitiert nach der Neuausgabe von 1959 (Rowohlts Klassiker), S. 45 f.

Der Fächer: Erschienen auch in der Feuilletonbeilage des Winterthurer *Landboten*, 22. Oktober 1965.

Im Bild des Gartens: Heym zitiert nach *Dichtungen und Schriften*, hgg. v. Karl Ludwig Schneider, Bd. 1, Hamburg 1964, S. 451 (letzte Fassung). Die Lesung «Haus» in Vers 8 ist unsicher.

Drei Schweizer Lyriker / Albert Streich: Zitiert nach *Sunnigs und Schattmigs*, Niww Brienzer Värsa, Bern 1958.

Der Dichter und die Politik: Josef Weinhebers Gedicht *Dem Führer* (1939) abgedruckt bei Joseph Wulf: *Literatur und Dichtung im Dritten Reich*, Gütersloh 1963, S. 368. Zu Johannes R. Bechers Versen auf Stalin vgl. Jürgen Rühle: *Literatur und Revolution*, Die Schriftsteller und der Kommunismus, Köln-Berlin 1960, S. 284. *Die Entstehung eines Gedichts* von Hans Magnus Enzensberger in *Gedichte / Die Entstehung eines Gedichts*, Frankfurt/M. 1962, u. ö. (Suhrkamp Texte).

Der Schwache ist in die Feuerzonen gerückt: Die Anthologie *Saat und Ernte*, hg. v. A. Sergel, wird nach der «neuen, vermehrten Auflage» (o. J.) zitiert, Bodman S. 183.

Unter der Wurzel der Distel: Teilweise erschienen in der Zeitschrift *die linie* (Bern), April 1964. – *Almanach der Gruppe 47*, hg. v. H. W. Richter, Hamburg 1962, das Gedicht von Bächler S. 76 f. Peter Huchel wird zitiert nach *Chausseen Chausseen*, Frankfurt/M. 1963.

Afrikanische Botschaft: Erschienen unter dem Titel *Léopold Sédar Senghor* in der *Neuen Zürcher Zeitung*, 2. September 1963. – Die Betrachtung geht aus von der Parallelausgabe *Botschaft und Anruf*. Sämtliche Gedichte hg. und übertragen von J. Jahn, München 1963. Jean Rousselot: *Les nouveaux poètes français*, Panorama critique, Paris 1959, p. 419 ff.: *Dans le creuset de la langue française.*

Feuer und Asche: Teilweise erschienen unter dem Titel *Hinweis auf Pierre Reverdy* im Literaturblatt der *Tat* (Zürich), 17. Januar 1964. Übersetzungen, zusammen mit den Originalen, in der Literaturbeilage der *Neuen Zürcher Zeitung*, 12. Mai 1963, in der *Schweizer Rundschau*, Mai 1964, und im Anschluß an den genannten Aufsatz in der *Tat*. – Über Reverdy unterrichtet u. a. die im Text erwähnte Sondernummer *Hommage à Pierre Reverdy* der Zeitschrift *Entretiens sur les lettres et les arts, publ. sous la direction de Luc Decaunes*, No. 20, Rodez s. d. (1961). Enzensbergers *Museum der modernen Poesie* (1960) enthält vier Gedichte Reverdys.

Literarische Grenzgänge

Das «Positive» und das «Negative»: Geschrieben im Herbst 1964 als Diskussionsbeitrag für den Berner *Bund*, erschienen unter dem Titel *Literatur und Ideologie* im Feuilleton des Zürcher *Tagesanzeigers*, 5. Dezember 1964. – Zur Stellung Carossas im Dritten Reich vgl. u. a. Hermann Kesten: *Filialen des Parnass*, München 1961, S. 267; zu v. Scholz vgl. Joseph Wulf, op. cit., S. 94 f.

Literatur und Tradition: Unter dem Titel *Betrachtungen über Literatur und Tradition* am 13. April 1965 im deutschschweizerischen Radio, abgedruckt in den *Schweizer Monatsheften*, Dezember 1965. – Goethe über die «furchtbare Last» der Überlieferung: *Maximen und Reflexionen* Nr. 662 («Der für dichterische ...»), *dtv-Goethe* Band 21, S. 80. «Wer bloß mit dem Vergangenen ...» zit. nach E. R. Curtius: *Europäische Literatur und lateinisches Mittelalter*, Bern, 2. Aufl. 1954, S. 397. Novalis: *Neue Fragmente* Nr. 493, zit. nach *Werke und Briefe*, hg. v. A. Kelletat, München 1953, S. 536. Carl J. Burckhardt an Hofmannsthal: *Briefwechsel*, Frankfurt/M. 1956, S. 93. Helmut Heissenbüttel: *Kapitulation vor dem Zeitgeist*, in *Die Welt der Literatur*, 4. Februar 1965. Hermann Glaser *Spießer-Ideologie*, Freiburg i. Br. 1964, S. 10 und S. 15. Th. W. Adorno: *Jargon der Eigentlichkeit*, Zur deutschen Ideologie, Frankfurt/M. 1964, S. 8 f. Höss zitiert nach *Kommandant in Auschwitz*, Autobiographische Aufzeichnungen, hg. v. M. Broszat, dtv-Ausgabe, München 1964, S. 129. Wellek/Warren zitiert nach *Theorie der Literatur*, übertr. v. E. und M. Lohner, Berlin 1963 (Ullstein Bücher), S. 234 f. Sartre zitiert nach *Was ist Literatur?* übertragen v. H. G. Brenner, Hamburg 1963 (Rowohlts Klassiker), S. 171; das Original *Qu'est-ce que la littérature?* erschien zuerst in der Zeitschrift *Les Temps modernes*, Paris, février-juillet 1947, dann in *Situations II*, Paris 1948. Eichendorff zitiert

nach *Adel und Anmut der Poesie*, a. a. O. S. 221. Über Will Vesper: Ad. v.
Grolman im Nachwort zu *Geschichten von Liebe, Traum und Tod*, Maria-Rain/
Kärnten o. J. (1963), S. 530. T. S. Eliot zitiert nach: *Was ist ein Klassiker /
Dante / Goethe der Weise*, dt. v. W. E. Süskind u. a., Frankfurt/M. 1963 (edition
suhrkamp), S. 43 f. George Orwell zitiert nach *Neunzehnhundertvierund-
achtzig*, Roman dt. v. K. Wagenseil, Konstanz-Stuttgart 1960, S. 227 f. Curtius
in *Europäische Literatur*, a. a. O. S. 398 und S. 400. Goethe «Wir stehen mit der
Überlieferung ...» in *Materialien zur Geschichte der Farbenlehre*, Dritte Abteilung, *dtv-Goethe* Band 41, S. 85.

«Queste parole di colore oscuro»: Erschienen in der Literaturbeilage der *Neuen
Zürcher Zeitung* zum 700. Geburtstag Dantes, 16. Mai 1965 (Anfang neu). –
Das Gedicht von Schelling zitiert nach *Sämtliche Werke*, 1. Abteilung, 10. Bd.,
Stuttgart u. Augsburg 1861, S. 441. K. Bartsch über den ältesten Versuch einer
deutschen Dante-Übersetzung in *Zeitschrift für romanische Philologie* VI (1882),
S. 387. Die Übersetzung von Schelling zitiert nach *Sämmtliche Werke*, a. a. O.
S. 441 f. Bei den erwähnten wissenschaftlichen Werken handelt es sich um:
Alfred Bassermann: *Dantes Spuren in Italien*, Wanderungen und Untersuchun-
gen, München und Leipzig 1898; Karl Vossler: *Die Göttliche Komödie*, Ent-
wicklungsgeschichte und Erklärung, 2 Bde., Heidelberg 1907–1910; Dante
Alighieri: *Die Göttliche Komödie*, übersetzt von Hermann Gmelin, Kommentar,
3 Bde., Stuttgart 1954–1957. Zum Thema vgl. T. Ostermann: *Dante in Deutschland*, Bibliographie der deutschen Dante-Literatur 1416–1927, Heidelberg 1929.

Madame de Staëls Buch über die Literatur: Erschienen zum 200. Geburtstag
Madame de Staëls in der Literaturbeilage der *Neuen Zürcher Zeitung*, 24. April
1966. – Dankbar wurde benutzt die kritische Ausgabe von Paul van Tieghem,
2 Bde., Genève/Paris 1959 (Textes littéraires français). Pierre Kohler: *Madame
de Staël et la Suisse*, Lausanne 1916; id.: *Histoire de la littérature française*, vol. II,
Lausanne 1948, p. 393. Die Äußerung Goethes zitiert nach *Goethes Gespräche*
ohne die Gespräche mit Eckermann, in Ausw. hg. v. F. v. Biedermann, Leipzig
o. J., S. 162. Die Bemerkungen von Thibaudet zitiert nach seiner *Histoire de
la littérature française de 1789 à nos jours*, nouv. éd., Paris 1947, pp. 45 ss. *Les
écrivains français et le mirage allemand*, Titel eines Buches von Jean-Marie Carré,
Paris 1947: *Pendant trois quarts de siècle, nous avons vécu sur une idée, ou plutôt
sur une image traditionelle de l'Allemagne, celle qu'avait fixée Mme. de Staël dans
son grand livre en 1813* (p. VIII). Chrétien de Troyes zitiert nach *Cligés*, hg. v.
W. Foerster, Halle 1901, v. 30 ff. Heinrich Morf in *Die romanischen Literaturen*
(Die Kultur der Gegenwart), Berlin und Leipzig 1909, S. 301. Zu Paul-Henri
Mallet vgl. Paul van Tieghem: *Le Préromantisme*, études d'histoire littéraire
européenne, vol. I, Paris 1924, p. 109 ss.; zu Ossian ibid. p. 195 ss.

Der Giftschrank des Kritikers: Erschienen in der *Neuen Zürcher Zeitung*, 4. April
1966. – Benützt wurde die Neuausgabe: Sainte Beuve: *Mes poisons, précédé de
«Sainte-Beuve secret» par Henri Guillemin*, Paris 1965 (Bibliothèque 10×18).

Der Deutschschweizer und seine Literatur: Zuerst erschienen auf Französisch unter dem Titel *Notes sur la littérature en Suisse alémanique* in der *Revue neuchâteloise*, IX/35 (été 1966), dann deutsch in der literarischen Beilage der Zeitschrift *du-atlantis*, August 1966, mit der Vorbemerkung: «Die folgenden Betrachtungen wurden zunächst mit dem Blick auf die französische Schweiz geschrieben. Sie versuchen, dem Gesprächspartner von jenseits der Saane einige Grundtatsachen unseres literarischen Lebens in Erinnerung zu rufen: daß es in der Deutschschweiz auch abgesehen von Frisch und Dürrenmatt bedeutende Literatur gibt; daß diese Literatur nicht in erster Linie «schweizerisch» sein kann, selbst wenn sie es dann und wann möchte, sondern deutsche Literatur sein muß; daß das Verhältnis des Deutschschweizers zu seiner Literatursprache und zum großen Sprachgebiet, dem er angehört, jedoch viel komplizierter und komplexer ist als dasjenige des Welschschweizers zum Französischen und zu Frankreich. Das sind Dinge, die man in der Romandie oft nicht bedenkt, wenn von der Deutschschweiz und ihrer Kultur die Rede ist. Aber bedenkt man sie bei uns genügend? Bedenkt man sie in Deutschland? Wenn man so fragt, so zeigt sich vielleicht, daß manches von dem, was zum «welschen Freund» gesagt wird, uns selber angeht. Und darin liegt ja auch ein Sinn des Gesprächs: daß man, indem man sich dem anderen erklärt, über sich selber klarwerden muß. Die Schweiz gibt uns die Möglichkeit zu einem solchen Dialog. Das ist eine ihrer Chancen – eine unserer Chancen.»

Von der *Storia delle quattro letterature* Calgaris liegt jetzt eine deutsche Übersetzung vor: *Die vier Literaturen der Schweiz*, übers. v. E. Tobler, Olten und Freiburg i. Br. 1966; Mängel der Darstellung (Unvollständigkeit, ungleiche Proportionen, Fehler, oft oberflächliche und vielfach nur aus der Sekundärliteratur bezogene Urteile und Charakteristiken) treten hier deutlicher hervor als im Original. Die *Geschichte* von Jenny und Rossel erschien 1910 zugleich in Bern und Lausanne. Fritz Ernst über die Literatur der Schweiz in *Gibt es eine schweizerische Nationalliteratur?* jetzt in *Späte Essais*, Zürich 1963, S. 93 ff. Zu Gotthelf und Ramuz vgl. W. Günther: *Gotthelf et Ramuz*, Lausanne 1946. Zu Albert Streich vgl. oben S. 73 ff. Von J. J. Bodmer hat F. Ernst 1938 in Frauenfeld ausgewählte *Schriften* herausgegeben, von Spitteler besitzen wir die Gesamtausgabe von G. Bohnenblust, W. Altwegg und R. Faesi, Zürich 1945 ff., von Zollinger seit 1961 *Gesammelte Werke* in vier Bänden, von Robert Walser beginnt J. Greven *Das Gesamtwerk* herauszugeben, Genf und Hamburg 1966 ff. Von Hohl liegen bisher nur Einzelausgaben vor, neu *Nuancen und Details*, mit einem Nachwort von H. Heissenbüttel, Olten und Freiburg i. Br. 1964. Vgl. auch die viersprachige Anthologie *Bestand und Versuch*, Zürich und Stuttgart 1964 (dazu oben S. 69).

Geistiges Erbe der französischen Schweiz: Erschienen in der *Neuen Zürcher Zeitung*, 19. Januar 1965 (gekürzt). – Das Buch von Berchtold erschien 1963 in Lausanne. Dazu die *Annexe de la thèse: Matériaux pour une bibliographie*, Lausanne 1963. Unter den seither erschienenen wichtigen Büchern zur westschweizerischen

Literatur sind u. a. zu erwähnen: *Anthologie jurassienne, Textes réunis et présentés par une société d'écrivains jurassiens sous la direction de P. O. Walzer*, 2 vols., Porrentruy 1964, und Edmond Gilliard: *Oeuvres complètes, établies et publiées par F. Lachenal* . . . , Genève 1965.

Register